2023/24
해외축구 시즌 하이라이트 일러스트 카툰북

글/그림: 장원석

stepstone900@naver.com
https://blog.naver.com/piccalcio
https://www.instagram.com/piccalcio

블로그 **인스타**

목차

2024

3월   124~161p

4월   161~199p

5월   199~243p

6월   244~247p

23/8/6
웸블리 스타디움, 런던
FA 커뮤니티 쉴드 2023
아스날 1-1 맨시티
승부차기 4-1

새 시즌의 장이 열렸다. 지난 시즌 트 레블의 주인공 맨시티가 이 경기까지 하면 2023 한 해 4관왕을 달성할 수 있었지만 트로사르의 버저비터 동점 골이 승부를 바꿔놓았다. 커뮤니티 쉴 드에서만큼은 아스날이 맨시티보다 크다.

아스날 FA 커뮤니티 쉴드 2023 우승

거너스가 이 대회 통산 17번째 우승을 가져갔으며 상대가 지난 시즌 자신들을 괴롭게 했던 맨시티였기에 뜻 깊을 듯 하다. 여기서 양 사이드에 위치한 하베르 츠와 라이스는 이적하자마자 첫 공식경기에서 트로피를 획득.

23/8/11
터프 무어, 번리
23/24 프리미어리그 1R
번리 0-3 맨시티

맨시티의 레전드 선수 출신인 콤파니는 감독으로써 이미 지난 시즌 FA컵에서 스승이 이끄는 친정팀을 만나 호되게 당했었다. 그리고 번리를 이끌고 승격해온 프리미어리그 데뷔전도 친정팀을 만나 또 다시 호되게 당했다. 지난 시즌 득점왕 홀란드는 지난 시즌 개막전처럼 멀티골을 터뜨리며 자신의 역사적인 기록을 깨기까지 이제 35골 남았다.

23/8/12
에미레이츠 스타디움, 런던
23/24 프리미어리그 1R
아스날 2-1 노팅엄 포레스트

지난 시즌이 어찌 보면 뼈아프게도 볼 수 있는 아스날은 커뮤니티 쉴드에서 좋은 출발을 한데에 이어 리그 출발도 낫 배드. 지난 시즌 노팅엄이 잔류하는 데 큰 공헌을 했던 공격수 아워니이는 당일 생일을 맞이하여 만회골을 터뜨렸다.

23/8/12
알리안츠 아레나, 뮌헨
DFL슈퍼컵 2023
바이에른 뮌헨 0-3 라이프치히

올 여름 굉장히 핫한 이적 중 하나...
케인이 드디어 토트넘을 떠나서 이제
는 트로피를 밥 먹듯이 따낼 수 있는
팀 바이언으로 이적을 해서 이제 첫
공식 경기를 치렀는데... 그것도 홈으
로 치뤄진 경기에서 도대체 이게 무슨
일? 다니 올모의 해트트릭으로 라이프
치히의 완승으로 슈퍼컵은 그들에게.

단판 승부니까 그럴 수 있다고 치고 분데스리가 어우뮌 어차피 우승은 뮌헨꺼
니까 그리 걱정은 안해도 될 듯.

23/8/13
브렌트포드 커뮤니티 스타디움, 브렌트포드
23/24 프리미어리그 1R
브렌트포드 2-2 토트넘

토트넘으로써는 좀처럼 받아들이기
힘든 케인과의 이별을 직전에 감행하
였다. "??: 이제 트로피길만 걷길... 근
데 어제 슈퍼컵을 놓쳤어?"
이제는 공식 주장이 된 손흥민 하지만
안타깝게도 주장 완장을 달고 처음 한
것이 페널티킥 허용이었다. 포지션 상
여지껏 좀처럼 보기도 힘들었던... 전
반만 난타전 끝에 결국 지난 시즌과
같은 무재배 스코어로 마무리.

23/8/13
스탬포드 브릿지, 런던
23/24 프리미어리그 1R
첼시 1-1 리버풀

표면상으로는 빅매치. 둘다 지난 시즌 실패를 딛고 도약해야하는 두 팀이지만 그 실패의 정도는 차이가 있다. 완전히 죽은 팀을 살려내야 하는 임무를 맡고 PL로 돌아온 포체티노의 첼시 데뷔전. 살라는 6시즌 간 이어온 개막전 득점행진이 마침내 끊겼다. 그러면서 두 팀은 또 무재배를 캐긴 했으나 적어도 5연속 0-0만큼은 끊어냈다. 또 0-0이었으면 믿거첼리(믿고 거르는 첼시-리버풀 맞대결)로 점점 굳어질 뻔.

23/8/14
올드 트래포드, 맨체스터
23/24 프리미어리그 1R
맨유 1-0 울버햄튼

의외로 고전했지만 이번 시즌 맨유의 첫 득점자는 OT에서 바란이 되었다. 그리고 지난 시즌 챔피언스리그 준우승을 차지하며 이제는 데 헤아의 뒤를 이을 새 수문장 오나나는 약간 불안한 장면도 있었으나 선방만큼은 자신의 실력을 보여주며 그럭저럭 합격점을 받았다.

23/8/16
스타디오 조르지오스 카라이스카키, 아테네
2023 UEFA 슈퍼컵
맨시티 (pk 5-4) 1-1 세비야

지난 시즌 꿈을 현실로 이룬 맨시티가 이제 그 다음 단계 도약에 나선다. 이 대회 출전 경험만 따지면 훨씬 많은 세비야를 상대로 의외로 고전했다. 커뮤니티 쉴드에서 승부차기로 울었지만 여기서는 웃을 수 있었다. 사실 그들에게 중요한 것은 당연히 이 대회였다. 그나저나 펩은 자기 딸의 원피스를 입고 나온 것인가...?!

맨시티 2023 UEFA 슈퍼컵 우승

구단 역사상 최초의 UEFA 슈퍼컵 획득을 이루었다. 2023년 한 해로 따지면 4관왕인데 이제 그들에게 다음 미션은 클럽 월드컵이다. 한 편 이 대회 우승을 맛보지 못해 타팀 팬이 봐도 아쉬운 선수는 데 브라이너... 새로 합류한 그바르디올과 코바치치는 선발 출전하면서 구단 역사의 새로운 부분을 함께 하였다.

2023 UEFA 슈퍼컵 위너 맨시티 선발 라인업

23/8/19
안필드, 리버풀
23/24 프리미어리그 2R
리버풀 3-1 본머스

올 시즌 안필드 첫 경기. 지난 시즌 9-0으로 이겼던 팀에게 선제골을 먹히며 요상하게 흘러갔지만 결국 역전해냈다. 신입생 맥칼리스테르의 다이렉트 퇴장으로 위기를 맞이했지만 잘 극복.

23/8/19
토트넘 핫스퍼 스타디움, 런던
23/24 프리미어리그 2R
토트넘 2-0 맨유

포스테코글루 토트넘 신임 감독의 홈 데뷔전. 2년차 텐 하흐의 맨유를 상대로 대단히 훌륭한 경기를 펼치면서 앞으로를 기대하게 만들었다. 그래도 당연한 얘기지만 더 지켜봐야 한다. 누구도 첫 경기에서 맨시티 잡았다...

23/8/19
스타디오 베니토 스티르, 프로시노네
23/24 세리에A 1R
프로시노네 1-3 나폴리

지난 시즌 세리에 A와 B의 챔피언이 치르는 개막전. 역시 나폴리가 A의 디펜딩 챔피언답게 완승을 가져갔다 출발은 당황스러웠지만. 지난 시즌 득점왕이기도 한 오시멘이 새 시즌 개막전부터 날뛰면서 새 감독 뤼디 가르시아의 나폴리 데뷔전을 성공적으로 이끌었다.

23/8/19
쥐세페 메아짜, 밀라노
23/24 세리에A 1R
인테르 2-0 몬차

인테르에서 6년, 10년간 몸 담았던 갈리아르디니와 담브로시오가 팀을 떠나 함께 합류한 팀을 개막전부터 상대하는 인테르인데 이것부터가 벌써 그들에게는 흥미거리였다. 부메랑을 특히 갈리아르디니에게 당할까봐 우려하는 시선이 있었지만 그런건 없었고 굳이 따지자면 그에게 파울을 범한 라우타로가 경고를 받은 정도...? 올 시즌부터 팀의 새 주장이 된 라우타로가 개막전부터 멀티골을 터뜨리면서 지난 시즌 1무 1패로 열세였던 몬차를 상대로 무난한 스타트.

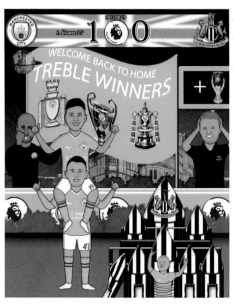

23/8/19
에티하드 스타디움, 맨체스터
23/24 프리미어리그 2R
맨시티 1-0 뉴캐슬

22/23 시즌 트레블 위너이자 주중에 UEFA 슈퍼컵까지 제패한 올 해 4관왕 맨시티가 3개월만에 홈으로 돌아왔다. 상대가 올 시즌 같이 챔피언스리그에 출전하는 만만찮은 뉴캐슬이었음에도 불구하고 시즌 첫 홈경기에서 신승을 거두었다.

23/8/20
올림픽 스타디움, 런던
23/24 프리미어리그 2R
웨스트햄 3-1 첼시

첼시의 악몽같았던 22/23 시즌... 아직 진행 중인가? 페널티킥으로도 터지지 않는 엔소의 첼시 데뷔골. 역전할 절호의 찬스도 놓치고 실점하고 심지어 상대가 퇴장 당하고도 그 기회를 살리지 못하며 추가시간에 쐐기골 얻어맞고 패배를 당하고 말았다.

23/8/20
스타디오 올림피코, 로마
23/24 세리에A 1R
로마 2-2 살레르니타나

지난 시즌 로마에 입단하여 리그 31경기 0골에 그쳤던 벨로티가 새 시즌 시작하자마자 한 경기 멀티골을 터뜨렸다 그것도 둘다 멋지게. 하지만 그런 그가 주인공이 되기에는 칸드레바가 더 미쳤다. 특유의 킥력으로 더한 원더골들을 터뜨린 36세의 칸드레바는 지난 시즌 이 경기가 이 곳에서 똑같이 2-2 스코어가 날 때에도 한 골이 있었다 역시 라치오 출신...?
벨로티 2-2 칸드레바로 마무리.

23/8/20
비아 델 마레, 레체
23/24 세리에A 1R
레체 2-1 라치오

앞서 로마 경기도 그 맞대결 데자뷰 스코어로 실족했다면 라치오도 마찬가지였다. 전반에 임모빌레가 선제골 넣고 후반 가서 역전패... 올 시즌 챔피언스리그도 나가는 라치오인데 개막전부터 삐걱.

23/8/20
다치아 아레나, 우디네
23/24 세리에A 1R
우디네세 0-3 유벤투스

지난 시즌 마지막 라운드 우디네세 원
정에서 키에사의 결승골로 승리했던
유베였는데 지금 연달아 같은 장소에
서 같은 상대와 만난 것이다. 이번에도
키에사 결승골은 똑같고 추가로 다른
팀원들이 더 넣으며 완벽한 새 시즌
개막전을 치렀다.

23/8/21
레나토 달라라, 볼로냐
23/24 세리에A 1R
볼로냐 0-2 밀란

불과 2년전인 첼챔우 시절 동료가 이
젠 밀란에서 만나 개막전부터 나란히
득점을 터뜨렸다. 지루야 늘 하던대로
클라스를 과시하는거지만 '캡틴 아메
리카' 퓰리식의 데뷔전 데뷔골은 충분
히 뉴스 거리.

23/8/21
셀허스트 파크, 런던
23/24 프리미어리그 2R
크리스탈 팰리스 0-1 아스날

폭풍 경고 누적으로 퇴장 당한 토미야스를 두고 현지 구너들 사이에서 이런 얘기가 나왔다. "주심은 인종차별자" 그래서 아스날은 남은 시간을 어렵게 보내야 했지만 그 전에 터뜨린 캡틴 외데고르의 PK 선제골을 잘 지켜냈다. 어제의 런던 매치(웨스트햄-첼시)처럼 오늘의 이 런던 매치도 퇴장 당한 쪽에서 승리를 가져갔다.

23/8/25
스탬포드 브릿지, 런던
23/24 프리미어리그 3R
첼시 3-0 루턴 타운

스털링의 맹활약 속에 포체티노의 첼시는 승격팀을 꺾고 3라운드만에 첫 승 신고. 그리고 루턴 타운. 사상 최초로 PicCalcio 월드에 온 것을 환영.

15

23/8/26
바이탈리티 스타디움, 본머스
23/24 프리미어리그 3R
본머스 0-2 토트넘

매디슨의 토트넘 데뷔골이 터지면서
이 날이 생일 이브였던 포스테코글루
감독은 원정 첫 승으로 선물을 받았다.

23/8/26
에미레이츠 스타디움, 런던
23/24 프리미어리그 3R
아스날 2-2 풀럼

시작하자마자 어이없게 선제골을 빼앗
긴 아스날은 후반에 기껏 역전을 해내
고 수적 우위로 편하게 갈 수 있는 상
황에서 철퇴를 얻어맞으며 실족을 하
고 말았다.

23/8/26
올드 트래포드, 맨체스터
23/24 프리미어리그 3R
맨유 3-2 노팅엄 포레스트

동시간 대에 치뤄진 아스날 경기보다
더 안 좋게 출발했지만 그들은 수적 우
위의 기회를 놓치지 않고 잘 잡아내며
펠레 스코어로 역전승.

23/8/26
스타디오 벤테고디, 베로나
23/24 세리에A 2R
베로나 2-1 로마

아직까지 무리뉴(징계) 없는 로마...
다소 충격적인 패배를 당하며 1무 1패
로 상당히 안 좋은 출발을 하고 있다.
영입생 아우아르의 만회골이 터졌지만
그걸로 끝.

23/8/26
산 시로, 밀라노
23/24 세리에A 2R
밀란 4-1 토리노

개막전에 이어 오늘도 첼시 출신 듀오 플리식과 지루가 득점원에 이름을 올리면서 로쏘네리는 홈 첫 경기에서도 기분 좋게 완승을 거두며 2승을 따냈다.

23/8/27
브래몰 레인, 셰필드
23/24 프리미어리그 3R
셰필드 유나이티드 1-2 맨시티

아무리 PK를 놓쳐도 결국 필드골로 보답하는 홀란드다. 하지만 3라운드인데 겨우 3호골. 승격팀 셰필드를 상대로 의외로 쉽지 않은 경기를 펼쳤으며 결승골은 로드리.

23/8/27
안필드, 리버풀
23/24 프리미어리그 3R
뉴캐슬 1-2 리버풀

"아니 어떻게 이걸 역전해...?"
지난 본머스전이야 본인들의 퇴장이
있었어도 충분히 승리를 지켜낼만한
리버풀이었지만 오늘은 얘기가 많이
달랐다. 전반 상황만 보면 누가 봐도
뉴캐슬이 이번엔 지난 시즌 리버풀을
상대로 한 2패 설움을 떨쳐내나 싶었
는데 이번엔 다윈 누네즈의 크레이지
모드가 있었다. 제 아무리 팀이 강해져
도 리버풀 앞에서는 그저...

23/8/27
알리안츠 스타디움, 토리노
23/24 세리에A 2R
유벤투스 1-1 볼로냐

지난 개막전에서 좋은 출발을 했으나
정작 홈 첫 경기에 와서 삐걱거리는 유
베. 블라호비치의 시즌 2호골이자 연속
골이자 오늘 경기 동점골이 터졌지만
그걸로 끝. 이 날이 생일 이브였던 볼
로냐 감독 티아고 모따는 여기서의 승
점 1점을 충분히 선물로 여겨도.

23/8/27
스타디오 올림피코, 로마
23/24 세리에A 2R
라치오 0-1 제노아

개막전도 그렇지만 로마를 비웃고 있을 때가 아니다. 이 쪽은 2패로 더 심하다. 지난 3월 A매치 때 아주리 군단에 혜성처럼 등장한 레테기가 마침내 세리에A에서 뛰게 됐는데 여기서 제대로 주인공이 되었다.

23/8/27
스타디오 디에고 아르만도 마라도나, 나폴리
23/24 세리에A 2R
나폴리 2-0 사수올로

"집으로 돌아온 것을 환영합니다 이탈리아의 챔피언들" 꿈만 같은 지난 시즌을 보낸 디펜딩 챔피언 나폴리는 개막전에 이어 첫 홈경기에서도 승리를 따내며 2연승으로 좋은 출발을 알렸다.

23/8/28
사르데냐 아레나, 칼리아리
23/24 세리에A 2R
칼리아리 0-2 인테르

이제는 딱히 승격팀이라는 느낌이 들지 않는 칼리아리인데 이번엔 라니에리 감독이 쭉 이끌고 있다. 올 시즌 우승 후보로 꼽히는 인테르는 원정 첫 경기에서도 무난하게 승리하며 무실점 2연승으로 쾌조의 스타트.

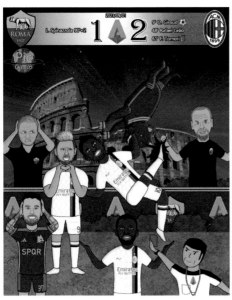

23/9/1
스타디오 올림피코, 로마
23/24 세리에A 3R
로마 1-2 밀란

레앙의 터닝 원더골. 그리고 경기 종료까지 30분 정도 남겨두고 토모리가 퇴장을 당하고 스피나쫄라가 뒤늦게 만회골을 터뜨렸지만 너무 늦었다. 밀란의 존버 작전 성공. 밀란은 3전 전승인데 반해 로마는 1무 2패로 매우 대조적.

23/9/2

터프 무어, 번리

23/24 프리미어리그 4R

번리 2-5 토트넘

캡틴 손의 해트트릭을 앞세워 토트넘
은 승격팀 번리에게 5득점을 퍼부으며
완승.

23/9/2

스탬포드 브릿지, 런던

23/24 프리미어리그 4R

첼시 0-1 노팅엄 포레스트

이상하다... 분명 얼마전에 새 시즌 개
막하지 않았나? 역대급 망 시즌으로
기억될 첼시의 22/23이 아직도 연장
진행 중?

23/9/2
에티하드 스타디움, 맨체스터
23/24 프리미어리그 4R
맨시티 5-1 풀럼

지난 시즌도 4라운드만에 첫 해트트릭을 신고한 홀란드는 이번에도 4라운드만에 신고했다 그것을... 시티는 4전 4승.

23/9/2
스타디오 디에고 아르만도 마라도나, 나폴리
23/24 세리에A 3R
나폴리 1-2 라치오

어제 로마-밀란에 이어 오늘도 이렇게 짝지어 빅매치. 하지만 빅매치 치고는 2전 2승을 하고 있던 디펜딩 챔피언 vs 2전 2패를 하고 있던 라치오라 많은 사람들의 예상을 빗나간 결과. 결승골의 주인공이 된 가마다 다이치가 또한 나의 1000번째 선수 얼굴 생성의 주인공이 되었다. 라치오는 나폴리 원정에서 2연승.

23/9/3
안필드, 리버풀
23/24 프리미어리그 4R
리버풀 3-0 아스톤 빌라

지난 시즌 마지막 홈경기에서 빌라에게 발목을 잡혔던 리버풀이지만 이번에는 아무 문제 없이 완승. 새로운 영입생 헝가리인 소보슬라이의 데뷔골.

23/9/3
에미레이츠 스타디움, 런던
23/24 프리미어리그 4R
아스날 3-1 맨유

아스날 입장에서는 빅6 상대로 올 시즌 리그 첫 시험대였는데 깊어진 추가 시간에 두 골을 터뜨리며 멋진 역전승으로 마무리하였다. 반면 맨유는 이미 지난 첫 원정이었던 북런던 팀 토트넘전 패배에 이어 또 졌다 그것도 완패.

23/9/3
쥐세페 메아짜, 밀라노
23/24 세리에A 3R
인테르 4-0 피오렌티나

개막 후 3경기만에 벌써 5골로 득점 선두에 오른 라우타로. 그리고 이카르디와 루카쿠가 누구...? 아직 초반이긴 하지만 마르쿠스 튀랑이 벌써 그의 좋은 파트너가 될 기미가 보인다. 인테르는 개막 후 무실점으로 3전 전승.

23/9/3
카를로 카스텔라니, 엠폴리
23/24 세리에A 3R
엠폴리 0-2 유벤투스

블라호비치 페널티킥 놓치며 개막 후 3연속 득점 실패. 유베는 지난 시즌 말미에 이 곳에서 경기할때쯤 승점이 '재삭감'된게 영향을 끼쳤는지는 몰라도 충격의 대패(1-4)를 당한 악몽이 있었는데 이제 리셋하고 새로 시작하는 새 시즌의 오늘 경기는 얘기가 달랐다.

23/9/16
쥐세페 메아짜, 밀라노
23/24 세리에A 4R
인테르 5-1 밀란

리그, 챔스, 수페르코파 등 모든 대회 포함하여 데르비 델라 마돈니나에서 5연승을 한 경기 5득점으로 찍다. 둘 다 똑같이 개막 후 3전 전승으로 이르게 만난 밀라노 형제인데 맞대결로 뚜껑을 열어보니 달라도 많이 달랐다.

인테르 밀라노 더비 5연승 일지 (이번 경기 전 4차례의 더비 매치들)

26

그리고...
작가 개인 사정으로 3개월 간
자체 축구 휴식기에 들어가다 :(

R.I.P 2023 가을.
중간 빵꾸 미안합니다...

23/12/15
컴백!

23/12/15
루이지 페라리스, 제노바
23/24 세리에A 16R
제노아 1-1 유벤투스

잘 나갈 때도 제노아 원정에서 간간이
잡혔던 유베였는데 세리에B 한 번 갔
다가 돌아온 제노아에게 이번에도 고
전을 면치 못했다. 선두 인테르 따라
잡기 실패.

23/12/15
시티 그라운드, 노팅엄
23/24 프리미어리그 17R
노팅엄 포레스트 0-2 토트넘

히샤를리송과 쿨루세프스키의 득점으
로 노팅엄 원정에서 의외로 쉽게 완승.

23/12/16
스탬포드 브릿지, 런던
23/24 프리미어리그 17R
첼시 2-0 셰필드 유나이티드

팔머와 잭슨의 득점으로 그래도 꼴찌 셰필드에게는 승리하면서 첼시 탑 10 유지!

23/12/16
에티하드 스타디움, 맨체스터
23/24 프리미어리그 17R
맨시티 2-2 크리스탈 팰리스

가끔씩 호지슨의 팰리스에게 참교육 당하는 펩 시티가 또...?! 시티는 클럽 월드컵을 치르러 가기 직전에 리그 경기 하나를 실족하며 찝찝하게 떠난... 아니 어차피 또 1위로 올라갈 수 있을 거란 믿음이 있으려나 이젠?

23/12/16
스타디오 디에고 아르만도 마라도나, 나폴리
23/24 세리에A 16R
나폴리 2-1 칼리아리

쉽지 않은 경기를 펼친 나폴리지만 최근에 약간의 비판의 목소리가 나오고 있던 크바라가 결승골을 터뜨렸다.

23/12/17
산 시로, 밀라노
23/24 세리에A 16R
밀란 3-0 몬차

경기 전일 (12월 16일) 밀란의 구단 창단 124주년을 맞이하여 홈에서 깔끔한 완승. 그런데 득점자 세 명 모두 아직 나에겐 그려보지 않은 없는 선수들이니 어시스트한 자들로 대체하는걸로...

23/12/17
에미레이츠 스타디움, 런던
23/24 프리미어리그 17R
아스날 2-0 브라이튼

제수스와 하베르츠의 득점으로 지난 시즌 막판 홈에서 참사를 안겼던 브라이튼을 상대로 이번엔 잘 이겨내며 탑 스날을 유지.

23/12/17
안필드, 리버풀
23/24 프리미어리그 17R
리버풀 0-0 맨유

슈팅수 차이가 저런데 0-0... 챔피언스리그에서 어마어마한 실점들을 하며 결국 조 꼴찌를 면치 못한 맨유에게 이 결과는 수확이라면 수확. 지난 시즌 안필드에서 7-0이라는 대역사를 쓴 양 팀인데 리버풀은 오늘 넣을 거 그 때 이미 다 넣은듯?

23/12/17
레나토 달라라, 볼로냐
23/24 세리에A 16R
볼로냐 2-0 로마

로마에서 선수 그리고 생전에 볼로냐에서 마지막으로 몸 담고 있던 미하일 로비치의 첫번째 기일(12월 16일).

요즘 주가가 높아지고 있던 티아고 모따 감독이 인테르 트레블 시절 스승 무리뉴의 로마까지 잡아내며 기어코 챔피언스리그 존인 탑4에 진입하였다.
16라운드인데 챔스존에 있는게 로마가 아니라 볼로냐란 말이다...?!

23/12/17
스타디오 올림피코, 로마
23/24 세리에A 16R
라치오 0-2 인테르

2023년 한 해에만 29골을 넣은 라우타로. 이는 한 해 28골을 넣었던 2001 비에리, 2012 밀리토를 제치는 결과였다. 11년 주기로 세워지고 있는 구단 내 기록이니 2034년에는 누구? 최근 본인의 조국 아르헨티나에서 폭풍으로 인하여 참사가 있었던 지역을 향해 메세지를 적은 문구를 내보이는 세레머니를 펼쳤다. 그리고 튀랑의 추가골까지 더하여 심자기는 드디어 지난 두 시즌간 원정에서의 친정팀 사랑을 멈추었다. 또한 인테르는 사리가 이끄는 팀(엠폴리-나폴리-유벤투스-라치오) 리그 원정 경기에서 첫 승리를 거두었다.

23/12/19
킹 압둘라 스포츠 시티, 제다 (사우디)
2023 FIFA 클럽 월드컵 4강
우라와 레즈 0-3 맨시티

드디어 맨시티도 출전한다 이 대회에.
이변 따위는 없었다.

23/12/19
스타디오 디에고 아르만도 마라도나, 나폴리
23/24 코파 이탈리아 16강
나폴리 0-4 프로시노네

코파라 한들 리그 디펜딩 챔피언이 홈
경기에서 승격팀을 상대로 0-4로 진다
라... 경기 안 본 사람이 스코어 보면 반
대로 된 거 아닌가 에러라고 생각할 듯.
나폴리는 코파에서 세 시즌 연속으로
16강에서 광탈 중이다.

23/12/20
쥐세페 메아짜, 밀라노
23/24 코파 이탈리아 16강
인테르 1-2 볼로냐

전 날에 이어 오늘도 자이언트 킬링. 리그에서는 신급인 라우타로가 PK를 놓치며 연장갈 때부터 쌔~했지만, 인테르가 선제골을 뽑아냈지만, 역전을 당하며 놀라움을 선사했다. 리그에서 놀라운 모습을 보여주고 있는 볼로냐라 하더라도, 부임 후 코파에서 단 한 번의 패배없이 2연패를 거두던 '컵대회의 제왕' 심자기의 인테르를 탈락시킨 것은 놀랍다. 그걸 무너뜨린 상대팀 감독이 인테르 트레블 멤버 티아고 모따...!

23/12/22
카를로 카스텔라니, 엠폴리
23/24 세리에A 17R
엠폴리 0-2 라치오

세리에 데뷔골을 터뜨린 귀엥두지.

23/12/22
킹 압둘라 스포츠 시티, 제다 (사우디)
2023 FIFA 클럽 월드컵 결승
맨시티 4-0 플루미넨시

펠리페 멜루는 두가지 면에서 참 대단하다. 40살에 현역으로 뛰는 것도 모자라 클럽 월드컵 결승에서 선발로 뛰는 점, 그리고 40살 먹고도 인간이 한결같은 점. 경기는 뭐 시작하자마자 맨시티가 우승을 못하면 말이 안되게끔 흘러갔다.

맨시티 2023 FIFA 클럽 월드컵 우승

구단 역사상 최초의 타이틀이자 2023년 한 해 5관왕을 달성 하며 마무리하는 맨시티. 그 중심인 홀란드와 팀 레전드라고 할 수 있는 데 브라이너는 아쉽게도 부상 때문에 여기에는 함께 하지 못했다.

23/12/22
아레키 스타디움, 살레르노
23/24 세리에A 17R
살레르니타나 2-2 밀란

밀란에게 비수를 꽂은 밀전드 필리포 인자기. 토모리의 선제골로 앞서갔지만 살레르니타나의 두 네임드 87년생 노장 파지오와 칸드레바에게 당했다. 생일 전야를 맞이하는 요비치의 동점골로 겨우 무승부로라도 마무리.

23/12/23
베니토 스티르페, 프로시노네
23/24 세리에A 17R
프로시노네 1-2 유벤투스

크리스마스 이브의 이브. 유베는 블라호비치의 결승골로 승리를 거두긴 했는데 결코 쉽지 않았다.

23/12/23
올림픽 스타디움, 런던
23/24 프리미어리그 18R
웨스트햄 2-0 맨유

크리스마스를 앞두고 펼쳐진 경기.
4연속 무득점, 모예스에게 패배 등 아
직도 정신 못 차리고 있는 맨유.

23/12/23
토트넘 핫스퍼 스타디움, 런던
23/24 프리미어리그 18R
토트넘 2-1 에버튼

캡틴 손 본인 딴에 잘 안 풀렸던 지난
22/23 전체 리그 득점(10골)을 이미
전반기가 지나기도 전에 넘어버리다.

23/12/23
쥐세페 메아짜, 밀라노
23/24 세리에A 17R
인테르 2-0 레체

인테르가 비섹의 데뷔골과 약간의 부상이 있던 라우타로 대신 주장 완장을 달고 나온 바렐라의 추가골로 무난하게 마무리.

23/12/23
안필드, 리버풀
23/24 프리미어리그 18R
리버풀 1-1 아스날

우승 경쟁을 다투고 있는 두 팀의 빅매치. 가끔 농구 세레머니 즐겨하던 외데고르는 경기 중 페널티 박스 안에서 리얼로 농구를 했는데 VAR 반응 조차도 없었던 이유는...? 이브의 이브이긴 한데 성탄절 맞이 휴무인가 VAR도?

23/12/23
스타디오 올림피코, 로마
23/24 세리에A 17R
로마 2-0 나폴리

후반전 폴리타노의 뜬금 보복성 발길
질 퇴장, 펠레그리니의 원더 선제골, 오
시멘의 경고 누적 퇴장, 그리고 루카쿠
의 쐐기골로 로마의 완승으로 마무리
되었다. 디펜딩 챔피언 나폴리는 전력
약화도 약화지만 기강도 개판. 작년 크
리스마스 때 44점으로 선두였던 그들
이 지금 이 시점에는 고작 27점에 불과
하다.

23/12/24
몰리뉴 스타디움, 울버햄튼
23/24 프리미어리그 18R
울버햄튼 2-1 첼시

보통 크리스마스 날은 물론 이브날에
도 경기를 거의 안하는데 이번엔 또 왜
해가지고 첼시 팬들은 또 1 괴로움 추
가... 이로써 2023년 한 해 프리미어리
그 최다 패(19)라는 불명예 기록을 안
게 된다. 포터, 램파드, 그리고 포체티
노의 합작.

23/12/26
터프 무어, 번리
23/24 프리미어리그 19R
번리 0-2 리버풀

크리스마스를 지나고 잉글랜드의 전통
인 박싱데이. 그리고 전반기 마지막 경
기이기도 한데 콤파니의 번리는 강등
을 면하기 쉽지 않아 보인다. 그리고
리버풀의 저 어웨이 킷은 개인적으로
상큼해 보인다 현재 그들의 성적처럼.

23/12/26
올드 트래포드, 맨체스터
23/24 프리미어리그 19R
맨유 3-2 아스톤 빌라

오랜만에 '꿈의 극장'이라는 수식어가
유색했던 올드 트래포드였다. 그것도
상위권에 있는 빌라 성님들을 잡았으
니 자이언트 킬링. 가르나초의 멀티골
그리고 그동안의 울분을 토해내는 호
일룬의 역전골까지 해서 03, 04년생들
이 역전승을 가져왔다.

23/12/27
스탬포드 브릿지, 런던
23/24 프리미어리그 19R
첼시 2-1 크리스탈 팰리스

이미 2023년 한 해 최다 패배를 기록
한 프리미어리그 팀이라는 오명을 안
고있는 첼시는 그래도 한 해 마지막
홈경기를 승리로 장식하는데 겨우 성
공했다.

23/12/27
구디슨 파크, 머지사이드
23/24 프리미어리그 19R
에버튼 1-3 맨시티

클럽 월드컵에서 월드 챔피언 뱃지를
따오고 선보이는 맨시티의 첫 경기. 후
반 되니까 진짜 맨시티의 모습이 나왔
다.

23/12/28
아멕스 스타디움, 브라이튼
23/24 프리미어리그 19R
브라이튼 4-2 토트넘

지난 시즌 망한 와중에도 상대적으로 상위권이었던 브라이튼한테만큼은 강했던 토트넘이지만 이번엔 상황이 반대임에도 제대로 당했다.

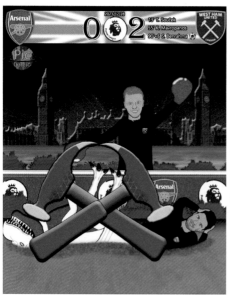

23/12/28
에미레이츠 스타디움, 런던
23/24 프리미어리그 19R
아스날 0-2 웨스트햄

이 날은 북런던 형제(?)의 수난이었다. 근데 아스날은 이래가지고 우승을 하겠다라... 웨스트햄은 맨유와 아스날로 이어지는 일정에서 연속 2-0 승리라는 놀라운 행보를 달렸다.

23/12/29
스타디오 디에고 아르만도 마라도나, 나폴리
23/24 세리에A 18R
나폴리 0-0 몬차

못 이겨서 아쉬운게 더 큰 쪽이 몬차일지도 모른다. 페널티킥을 놓쳤으니...? 직전 경기에서 폴리타노, 오시멘 퇴장으로 못 쓰는 것에 대해 결국 결과로도 데미지를 입었는데 네이션스컵 차출 전 오시멘을 쓸 수 있는 찬스가 이번이 마지막이었다. 2023년이 나폴리에게는 잊을 수 없는 한 해였지만 그건 어디까지나 상반기 얘기고 하반기(시즌 전반기)는 거의 인테르 10/11 전반기와 맞먹는 수준. 내년에 반등이 과연 가능할 것인가?

23/12/29
루이지 페라리스, 제노바
23/24 세리에A 18R
제노아 1-1 인테르

아르나우토비치의 인테르 소속 세리에A 데뷔골이 데뷔 14년만에 터졌다. 물론 트레블 시즌 당시 트벤테에서 임대온 20세 소년은 리그 3경기밖에 소화 못했었지만 말이다. 하지만 인테르는 승리하는데 실패하며 유베와의 격차를 벌리지 못했다. 그러나 4점차로 벌어졌던것도 (유베랑 비긴) 제노아 덕분, 지금 2점차로 좁혀진 것도 제노아 때문이니 쌤쌤 치는 걸로?

23/12/30
케닐워스 로드, 루턴
23/24 프리미어리그 20R
루턴 타운 2-3 첼시

첼시에게는 고통 그 자체였던 2023년
한 해를 드디어 마무리하는 경기였는
데 접전 끝에 그래도 승리로 잘 마무리.

23/12/30
에티하드 스타디움, 맨체스터
23/24 프리미어리그 20R
맨시티 2-0 셰필드 유나이티드

맨시티가 월드 챔피언 뱃지를 달고 홈
으로 돌아왔다. 그러면서 한 해 5관왕
이라는 타이틀을 달고 그들에게는 더
할 나위 없이 행복했던 2023년을 마무
리.

23/12/30
산 시로, 밀라노
23/24 세리에A 18R
밀란 1-0 사수올로

밀란이 최근 몇 시즌 간 한동안 홈에서 자신들을 괴롭게 했던 사수올로를 마침내 꺾으면서 2023년을 나쁘지 않게 떠나보냈다.

23/12/30
시티 그라운드, 노팅엄
23/24 프리미어리그 20R
노팅엄 포레스트 2-1 맨유

맨유는 텐 하흐 감독과 함께 한 해 기준으로 상반기까진 나쁘지 않았을텐데 하반기는 그말싫... 마지막 경기에서까지 고통을 받으며 2023을 마무리.

23/12/30
알리안츠 스타디움, 토리노
23/24 세리에A 18R
유벤투스 1-0 로마

승점 삭감, 유럽대항전 박탈, 또 무관 등 2023년도 유베에게 좋을 수가 없는 한 해였지만 홈으로 치뤄진 한 해 마지막 경기에서 난적 로마에게 신승을 거두며 마무리. 좋지 못했던 건 로마도 마찬가지다. 유로파리그 우승만 했더라도...?!

23/12/31
크레이븐 코티지, 런던
23/24 프리미어리그 20R
풀럼 2-1 아스날

2023 마지막 날 비오는 런던에서 아스날은 역전패를 당하며 우승 경쟁에 타격을 입은 채 한 해 마무리.

46

23/12/31
토트넘 핫스퍼 스타디움, 런던
23/24 프리미어리그 20R
토트넘 3-1 본머스

한해의 마지막 날 비오는 런던에서 흰 런던 팀들이 웃었다. 후반에 손흥민이 득점을 했을 당시는 한국 시각으로 이미 2024 제야의 종소리가 울린 뒤였으니 매우 의미가 깊었다.
새해에도 화이팅.

23/12/31
호날두 2023 최다 득점자 등극

딱 1년전 오늘 사우디의 알 나스르에 입단한 호날두인데 그 리그가 어느 수준이건 관계없이 국가대표팀과도 계속 병행하면서 2023년 한 해 기준 최다 득점자에 올랐다 38세의 나이로...
리스펙트 SIUUUUU

안녕 2023

안녕? 2024

24/1/1
안필드, 리버풀
23/24 프리미어리그 20R
리버풀 4-2 뉴캐슬

2024년 새해 빅리그 첫 경기는 리버풀의 안필드에서 치뤄졌다 보통 경기를 치르지 않는 1월 1일이니 독식할 수밖에...? 새해에도 살라의 행진은 계속된다. 앙리와 케인에 이어 PL에서 7시즌 연속 공격 포인트(득점+도움)를 20개 이상 올린 세 번째 선수가 되었다.

24/1/2
산 시로, 밀라노
23/24 코파 이탈리아 16강
밀란 4-1 칼리아리

작년에는 16강에서 연장 끝에 수적 열세의 토리노에게 광탈했던 굴욕을 뒤로 하고 올해는 손쉽게 8강에 안착하며 새해 좋은 출발을 알린 밀란.

24/1/3
파르크 데 프랭스, 파리
2023 트로피 데 샹피옹
PSG 2-0 툴루즈

22/23 리그앙 우승팀 PSG와 쿠프 드 프랑스 우승팀 툴루즈의 슈퍼컵이었는데 PSG가 우승하는거는 뭐 당연하지만, 이번에는 그곳에 이강인이 있었다. 이렇게 해서 첫 트로피 획득.

PSG 2023 트로피 데 샹피옹 우승

24/1/3
스타디오 올림피코, 로마
23/24 코파 이탈리아 16강
로마 2-1 크레모네세

강등되었던 크레모네세와 여기서 또 만나서 복수에 성공하였는데 물론 그 과정은 쉽지 않았다. 지난 시즌 로마가 크레모네세에게 당했던 것은 코파 8강 탈락, 그리고 24라운드에서 리그 첫 승 헌납.

24/1/4
알리안츠 스타디움, 토리노
23/24 코파 이탈리아 16강
유벤투스 6-1 살레르니타나

이겨도 한 골차 승리가 대부분이네 뭐네 했던 유베가 새해를 맞이하여 간만에 화끈한 골 폭풍을 몰아치면서 8강에 손쉽게 안착하였다.

24/1/5
토트넘 핫스퍼 스타디움, 런던
23/24 FA컵 64강
토트넘 1-0 번리

이제 캡틴 손이 아시안컵 차출로 빠진 토트넘은 포로의 대포알같은 한 방으로 다음 라운드에 진출하였다. 좋은 새해 출발.

24/1/6
쥐세페 메아짜, 밀라노
23/24 세리에A 19R
인테르 2-1 엘라스 베로나

새해 첫 경기부터 어마어마한 미친 경기를 펼친 인테르다. 인테르에 맞선 수비수 아르나우토비치의 2024 올해의 수비수 급 활약, 프라테시의 버저비터 결승골 & 엉덩이 그리고 T.앙리의 천당에서 지옥을향한 퍼포먼스 등 마침 PL이 없는 주말이었는데 주말 예능을 황금 시간대(20:30)에 단독으로 펼쳤다.

전반기 마지막 경기이기도 했는데 유벤투스 경기 결과에 관계없이 윈터 스쿠데토를 확정지었다.

24/1/6
스탬포드 브릿지, 런던
23/24 FA컵 64강
첼시 4-0 프레스턴

첼시의 레전드이기도 한 잔루카 비알
리의 첫 번째 기일이다. 비록 챔피언쉽
팀 상대지만 얼마만에 보는 스탬포드
브릿지에서의 대승인지...? 힘들었던
2023년을 뒤로 하고 좋은 새해 출발.

24/1/7
카를로 카스텔라니, 엠폴리
23/24 세리에A 19R
엠폴리 0-3 밀란

로프터스 치크와 지루 오늘도 전 첼시
듀오가 다 해먹었다. 새해 첫 리그 경
기이자 전반기 마지막 경기를 3골 차
완승으로 끝낸 밀란은 3위로 마무리.

24/1/7
스타디오 올림피코 그란데 토리노, 토리노
23/24 세리에A 19R
토리노 3-0 나폴리

이번 겨울 이적 시장에 새로 영입한 나폴리의 수비수 마쪼키는 후반 시작 하자마자 투입되며 데뷔전을 치뤘는데 단 4분만에 퇴장을 당하는 대호러쇼를 펼쳤다. 전 경기 퇴장으로 오늘 벤치에 앉지도 못하는 마짜리는 무슨 생각했을지...? 얼마 전에도 얘기했지만 뻑하면 퇴장 당하는 이 팀은 기강마저도 개판이며, 2024년 시작부터 대참사를 당하며 아주 혹독한 디펜딩 챔피언 나폴리.

24/1/7
에티하드 스타디움, 맨체스터
23/24 FA컵 64강
맨시티 5-0 허더스필드

그들에겐 더할 나위 없이 행복했던 2023년을 뒤로 하고 새해를 맞이하는데 과연 올해는 또 얼마나 이길지...? 이 대회에서도 역시 디펜딩 챔피언인 시티는 예상을 벗어나지 않고 산뜻한 출발을 했으며 대승보다도 더 기분 좋은 건 역시 KDB! 케빈 데 브라이너의 복귀다.

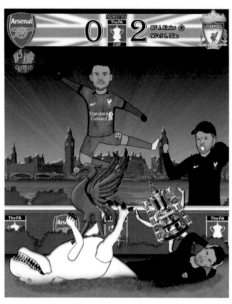

24/1/7
에미레이츠 스타디움, 런던
23/24 FA컵 64강
아스날 0-2 리버풀

이 날 '노 모어 레드 캠페인'이라고 흉기를 이용한 범죄와 폭력으로부터 청소년의 안전을 지키는 캠페인의 슬로건이다. 이에 참여 중인 아스날은 전통 컬러인 붉은색을 제거한 아주 클래식한 올 화이트 유니폼을 입고 나왔고, 또 다른 레드인 리버풀도 마찬가지로 써드를 입고 나왔다. 어쨌든 승리는 보라돌이 리버풀이 가져갔으며, 좋은 취지의 캠페인에 참여하고 있는 아스날이지만 지난 시즌엔 32강에서 맨시티를 만나 광탈하더니 이번엔 더 빨리...

24/1/7
아레키 스타디움, 살레르노
23/24 세리에A 19R
살레르니타나 1-2 유벤투스

4일전 코파 이탈리아 16강부터 새해에 연달아 만나고 있는 커플이다. 장소는 옮겼지만 이번에도 승리는 유베의 몫.

24/1/7
스타디오 올림피코, 로마
23/24 세리에A 19R
로마 1-1 아탈란타

순위 상으로 쳐져있는 로마가 좀 더 갈 길이 바쁘지만 생일이 이 달 말(26일)로 같은 무리뉴와 가스페리니 감독 서로 사이 좋게 비겼다.

24/1/8
DW 스타디움,
23/24 FA컵 64강, 위건
위건 애슬레틱 0-2 맨유

아주 오랜만에 보는 한 때 생존왕 위건 이었는데 뭐 별 건 없었고 맨유가 포르투갈 듀오의 득점으로 그리 어렵지않게 다음 라운드 진출권을 가져갔다.

24/1/10
스타디오 올림피코, 로마
23/24 코파 이탈리아 8강
라치오 1-0 로마

사리의 생일 당일날 밤 이 데르비를 승리로 장식하며 셀프 축포를 쏘아올렸다. 후반 인저리 타임에 펼쳐진 퇴장들 보면 역시 그냥 조용히 넘어갈 수 없는 뜨거운 더비.

24/1/10
알 아왈 파크, 리야드
23/24 수페르코파 데 에스파냐 4강
레알 마드리드 5-3 아틀레티코 마드리드

경기장만 다를 뿐 올 해에도 작년처럼 사우디에서 펼쳐진다. 연장 접전끝에 마드리드 더비 승자가 된 레알은 또 결승에 진출했으며 이번에는 반드시 우승을 노린다. 카르바할은 생일 이브 날 밤에 직접 득점포.

24/1/11

산 시로, 밀라노

23/24 코파 이탈리아 8강

밀란 1-2 아탈란타

밀란 홈에서 역전패를 당하며 올 시즌
에는 8강에서 끝인가보오.

24/1/11

알 아왈 파크, 리야드

23/24 수페르코파 데 에스파냐 4강

바르셀로나 2-0 오사수나

레반도프스키 그리고 19살 차이나는
07년생의 득점으로 완승을 거둔 바르
샤는 이번에도 작년처럼 레알과 엘 클
라시코 결승을 치른다.

24/1/11
알리안츠 스타디움, 토리노
23/24 코파 이탈리아 8강
유벤투스 4-0 프로시노네

밀리크의 해트트릭에 힘입어 가볍게 4강에 진출한 유베고, 승리를 해도 매번 한 골 차이냐는 비아냥 섞인 여론에 비웃기라도 하듯 코파 두 경기에서 10 득점을 퍼붓고 있다.

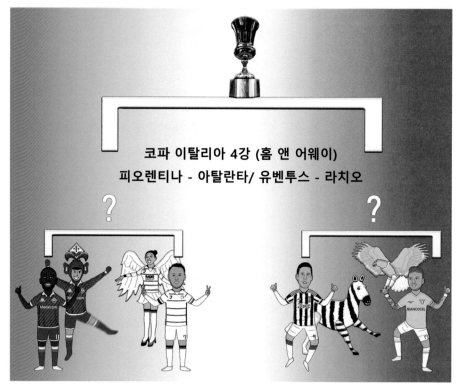

코파 이탈리아 4강 (홈 앤 어웨이)
피오렌티나 - 아탈란타/ 유벤투스 - 라치오

2연속 디펜딩 챔피언이었던 인테르가 일찌감치 탈락한 가운데 과연 결승대진은? 대다수가 유베-라치오 승자가 우승할거라 전망하고 있다.

24/1/13
스탬포드 브릿지, 런던
23/24 프리미어리그 21R
첼시 1-0 풀럼

2024년 새해 첫 경기로 치뤄진 FA컵에 이어 첫 리그 경기도 승리로 시작. 일단 출발은 괜찮다.

24/1/13
스타디오 디에고 아르만도 마라도나, 나폴리
23/24 세리에A 20R
나폴리 2-1 살레르니타나

올 시즌 나폴리에게는 지난 시즌과는 달리 꼴찌팀조차도 쉬워보이지 않는다. 라흐마니의 버저비터 골로 겨우겨우 역전승.

24/1/13
세인트 제임스 파크, 뉴캐슬
23/24 프리미어리그 21R
뉴캐슬 2-3 맨시티

말이 필요없는 시티의 리빙 레전드 K
DB 킹덕배의 존재감은 역시 어마무시
하다. 교체투입되어 1골 1도움으로 쉽
지 않은 뉴캐슬 원정을 승리로 이끌었
다.

24/1/13
스타디오 코무날레 브리안테오, 몬차
23/24 세리에A 20R
몬차 1-5 인테르

찰하노글루와 라우타로의 쌍멀티골
그리고 인테르에게 도움이 되는 갈리
아르디니의 1인분 활약이 팀의 대승을
이끌며 탑테르 유지. 지난 시즌 승격팀
이었던 몬차에게 상대전적 1무 1패였
던 인테르였는데 올 시즌은 이미 2승
으로 리벤지 성공.

24/1/14
올드 트래포드, 맨체스터
23/24 프리미어리그 21R
맨유 2-2 토트넘

밥값을 한 각 공격수들, 그리고 장기 부상에서 돌아온 벤탄쿠르가 복귀골을 신고. 그리고 이번 아시안컵 차출로 약 한 달 가량 결장이 예상되는 캡틴 손을 대신하여 임대영입된 베르너는 바로 데뷔전을 치뤘는데 빨리 뭔가 하나 보여줘야.

24/1/14
알 아왈 파크, 리야드
23/24 수페르코파 데 에스파냐 결승
레알 마드리드 4-1 바르셀로나

작년에 이어 이번에도 엘 클라시코로 치뤄졌는데 비니시우스의 전반 해트트릭에 힘입어 결과는 정반대로 나왔다. 과거 레알의 7번 CR7의 전매특허인 호우 세레머니를 현재의 7번이 시전한게 인상적.

레알 마드리드 23/24 수페르코파 데 에스파냐 우승

나초가 주장 완장을 달고 트로피를 들어올리다. 레알은 통산 13번째 우승으로 오늘 직접 꺾은 최다 우승팀인 라이벌 바르셀로나(14회)와 하나 차이로 좁혔다.

24/1/14
산 시로, 밀라노
23/24 세리에A 20R
밀란 3-1 로마

[오피셜] 무리뉴 경질

전반기에 이어 이번에도 승자는 밀란이었다. 그러면서 결국 무리뉴 감독은 이후에 경질되었다. 피올리 이즈 온 파이어가 무리뉴를 파이어시키다...

24/1/16
알리안츠 스타디움, 토리노
23/24 세리에A 20R
유벤투스 3-0 사수올로

유베는 전반기 사수올로에게 패배 이후 단 한 번도 지지 않고 이번 경기까지 달려오며 한 바퀴를 돌아 코파 이탈리아를 포함하여 17경기 연속 무패를 세웠다.

24/1/18
알 아왈 파크, 리야드
2023 수페르코파 이탈리아나 4강
나폴리 3-0 피오렌티나

사우디에서 하는 것도 모자라 이제는 수페르코파 데 에스파냐처럼 올 시즌부터 여기도 4강제로 나눠서 하기 시작했다.(+리그 2위 팀, 코파 이탈리아 준우승 팀... 굳이?) 피오렌티나가 초반에 PK를 놓쳤다 하더라도 나폴리의 3-0 승리가 지난 시즌 같으면 자연스러웠을텐데 지금은 "오 웬일?" 느낌으로 낯설게 느껴진다. 그것도 실력에 논란 거리가 많았던 알레시오 제르빈의 멀티 골이 있었기에 더욱 놀라움.

24/1/18
완다 메트로폴리타노, 마드리드
23/24 코파 델 레이 8강
아틀레티코 마드리드 4-2 레알 마드리드

불과 8일전 사우디에서 수페르코파 데 에스파냐 4강 치르느라고 연장 혈투가 벌어졌던 마드리드 더비(레알 5-3 승)인데 이번에 마드리드에서도 그리 되었다. 이번엔 반대로 아틀레티코가 승리를 가져가며 리벤지에 성공. 레알은 지난 시즌과 비교하면 못 먹었던 수페르코파는 이번에 먹었고, 먹었던 국왕컵은 이번에 못 먹는다.

24/1/19
알 아왈 파크, 리야드
2023 수페르코파 이탈리아나 4강
인테르 3-0 라치오

이쪽도 삼대빵으로 끝났다. 이 대회 디펜딩 챔피언이자 현재 리그에서도 1위인 인테르가 결국엔 우승할 것으로 예상되고 있다.

24/1/20
에미레이츠 스타디움, 런던
23/24 프리미어리그 21R
아스날 5-0 크리스탈 팰리스

가브리엘 형제의 쌍 멀티골(제수스는 아님)에 힘입어 오대빵이라는 스코어로 아스날은 새해 첫 승리를 올렸다.

24/1/20
스타디오 올림피코, 로마
23/24 세리에A 21R
로마 2-1 베로나

무리뉴가 경질되고 팀의 레전드 데 로시가 로마 사령탑에 올랐다. SPAL에서 정식 감독 데뷔를 했지만 거의 말아먹었던 이 40살의 꼬꼬마 감독은 일단 선수와 팬들의 열렬한 지지를 받으며 데뷔전을 승리로 장식. 일단 올 시즌 말까지 계약했는데 이제 DDR의 로마가 어떤 모습 보여줄지, 로마 팬들 입 혹은 손가락으로 "DDR 아웃" 소리는 언제 나올지 새로운 흥미 거리.

24/1/20
다치아 아레나, 우디네
23/24 세리에A 21R
우디네세 2-3 밀란

유달리 예쁜 올 시즌 써드를 입고 역전에 역전을 거듭한 극장 승리를 거둔 밀란.

24/1/21
바이탈리티 스타디움, 본머스
23/24 프리미어리그 21R
본머스 0-4 리버풀

이쪽에서는 누녜즈와 조타의 쌍멀티골로 체리 군단을 가볍게 즈려밟은 리버풀이 선두 자리에서 우승 희망을 이어나가고 있다.

24/1/21
비아 델 마레, 레체
23/24 세리에A 21R
레체 0-3 유벤투스

2경기 연속 멀티골을 터뜨린 블라호비치의 폼이 물 오른 가운데 유베는 일단 인테르가 수페르코파를 치르러 간 틈에 한 경기 더하고 1위.

*2023 AFC 아시안컵 개막: 갑자기 튀어나온 느낌이 있지만 1월 중순에 개막했었고 여기서는 조별리그 3차전 통합 정리부터 시작.

24/1/22
2023 AFC 아시안컵 A조 정리

1.카타르: 디펜딩 챔피언이자 개최국인 그들이 무실점으로 3전 전승을 따냈다.

2.타지키스탄: 3차전에서 레바논을 상대로 혈투를 펼친 끝에 새 역사를 썼다.

3.중국: 웃음 후보인 그들은 3경기 0득 1실로 무려 2점이나 따냈지만 다른 조 3위 승점이 어떻게 되느냐에 따라 16강 희망이 아예 없는 것은 아니기에 바로 집에 가지 못하고 이 날 호텔에서 최소 하룻밤 더 대기해야 했다.

4.레바논: 타지키스탄에게 역전패하며 최하위로 마감.

24/1/22
알 아왈 파크, 리야드
2023 수페르코파 이탈리아나 결승
나폴리 0-1 인테르

여기서까지 퇴장자가 발생하는 마짜리의 나폴리... 후반 중반부에 촐리토가 퇴장 당함으로 인해 나폴리는 존버 작전 말고는 답이 안 보일수밖에 없었지만 연장전까지 넘어가는 것을 인테르의 캡틴 라우타로가 허락하지 않았다.

2023 수페르코파 이탈리아나 인테르 우승

이 대회에서 무려 3연패를 거두고 있는 심자기의 인테르. 이번에는 스쿠데토가 유력해보이는 와중에 올 시즌도 일단 '유관'이다.

24/1/23

2023 AFC 아시안컵 B조 정리

1.호주: 디디펜딩 챔피언 호주가 예측대로 1위를 했지만 3전 전승에는 실패

2.우즈베키스탄: 항상 다크호스로 꼽히는 이들은 호주와의 맞대결에서도 저력을 보여주었다.

3.시리아/ 4.인도: 인도에 겨우 한 골 차로 승리하긴 했지만 역시 한 따까리 하는 중동팀으로써 16강에 진출. 이 결과로 인하여 인도와 중국 총 27억을 동시에 탈락시켜 버렸다. 인도는 큰 기대는 없었고 마지막까지 고군분투하긴 했으나 3전 전패는 그렇다쳐도 0득점으로 마친 것에 대해서는 아쉬움이 남을 듯 하다.

2023 AFC 아시안컵 C조 정리

1.이란: 타레미의 멀티골로 예측대로 그들이 3전 전승을 따내며 조 1위.

2.UAE: 지난 카타르 월드컵 조별리그 3차전처럼 이번에도 3차전에서 벤치에 앉을 수 없었던 우리 벤버지이지만 패배를 지켜보고도 16강의 맛은 볼 수 있었다.

3.팔레스타인/ 4.홍콩: 대회 전체 최약체로 꼽히던 홍콩을 상대로 팔레스타인이 3-0 완승을 거두며 전쟁으로 아픈 국민들에게 16강 진출이라는 선물을 안겨주었다. 홍콩은 예측대로 3전 전패이긴 해도 이란과 1골 차 승부, 그리고 전체 1득점이라도 안고 돌아가는걸로 만족할 수 있었을지도...?

24/1/24

2023 AFC 아시안컵 D조 정리

1.이라크: 당초 조 1위로 예상되었던 일본을 맞대결에서 꺾었으니 자격이 충분하다. 조별리그에서만 무려 5골을 터뜨린 아이멘 후세인의 대활약에 힘입어 3전 전승.

2.일본: 인니와의 3차전에서 우에다의 멀티골로 승리를 거뒀지만 조 1위 자리에 올라갈 수 없는 것은 이라크와의 맞대결에서 졌으니 별 수 없다.

3.인도네시아/ 4.베트남: 비록 일본에게는 저항하기 어려웠지만 베트남과의 맞대결에서 따낸 소중한 승점 3점으로 와일드카드를 노려봐야 한다. 남은 E,F조 결과가 신태용 호의 운명을 결정 짓는다. 베트남은 특히 인니와의 맞대결 패배는 매우 치명적으로 다가올 수 밖에... 그 상대 감독도 K-감독이다보니 베트남 팬들은 '쌀딩크' 박항서를 떠올리지 않을 수가 없다.

24/1/25

2023 AFC 아시안컵 E조 정리

1.바레인: 첫 경기에서 대한민국에게 패했는데 나머지 두 경기를 다 잡아내면서... 근데 타구장 결과로 인하여 의문의 조 1위 행. 그들 입장에서도 이걸 좋아하는게 맞는건가 싶은게 16강 대진 상대가 일본으로 바뀌었다.

2.대한민국: ......? 정말 일본 피하려고 큰 그림 그린게 성공(?)해서 미소를 짓는 것인가 클린스만은?

피파 랭킹 130위 말레이시아와 난타전을 벌이며 치욕적인 결과를 얻으면서까지?
1차전 1골, 2차전 2골, 3차전 3골... 득점이 아니라 실점 얘기다. 16강에 가긴 가는데
이제 4골 먹힐 차례인가?

3.요르단: 1,2차전에서 아주 훌륭한 모습을 보여준 그들은 3차전에서 뜬금 바레인
에게 패하면서 3위가 되었다.

4.말레이시아: 비록 이미 탈락확정이었지만 K-감독 김판곤이 대한민국을 상대로 놀
라움을 선사했다. 적어도 대한민국을 지휘하고 있는 저 후드티 입은 자보다는 나아
보인다.

24/1/25
2023 AFC 아시안컵 F조 정리

1.사우디 아라비아: 감독 연봉으로 압
도적 1위를 달리는 만치니인데 조 1위
를 하긴 했지만 글쎄 그 압도적 연봉에
비례하는 수준의 경기를 보여준 것은
아니었다.

2.태국: 그 압도적 연봉을 받는 감독의
우승후보국 사우디와 비긴 것은 매우
잘한 결과이며 조별리그를 무패로 통
과하였다.

3.오만: 조 최약체 키르기즈스탄과 무승부를 거두는 실족을 범하면서 와일드
카드로 마지막 16강 티켓을 인도네시아에게 넘겨주며 본인들은 짐을 쌌다.

4.키르기즈스탄: 물귀신마냥 오만의 발목을 잡으면서 호텔에서 대기하며 지켜
보던 인도네시아의 기적같은 16강 진출 스토리의 조연이 되며 마무리.

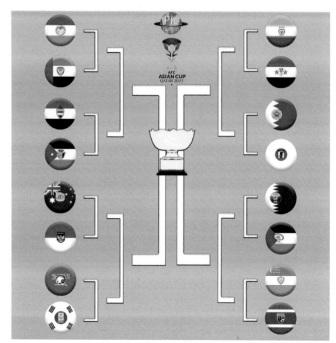

2023 AFC 아시안컵 16강 대진

타지키스탄-UAE/ 이라크-요르단/ 호주-인도네시아/ 사우디-대한민국/
이란-시리아/ 바레인-일본/ 카타르-팔레스타인/ 우즈베키스탄-태국

24/1/26
스탬포드 브릿지, 런던
23/24 FA컵 32강
첼시 0-0 아스톤 빌라

첼시는 리그 상위에 있는 빌라와 홈에
서 무재배를 캤다. 이러면 재경기를 해
야하는데 본인들도 힘들겠지만 나도 힘
들다. 근본 있는 대회여 제발 재경기 폐
지하고 한 번에 연장 또는 승부차기 도
입좀...

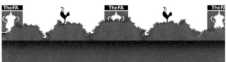

24/1/26
토트넘 핫스퍼 스타디움, 런던
23/24 FA컵 32강
토트넘 0-1 맨시티

펩시티가 드디어 몇년만에 해냈다 토트넘 원정에서 승리하기 미션! 하지만 손흥민이 빠져있었기에 가능...? 지난 5년 정도의 토트넘 원정을 되돌아보면 무득점도 무득점이지만 악몽의 중심엔 손흥민이 있었다.

24/1/27
알리안츠 스타디움, 토리노
23/24 세리에A 22R
유벤투스 1-1 엠폴리

액면가만 봐도 무난히 이겨야하는 유베 입장에서 전반 18분만의 퇴장자 발생은 경기가 힘들어질 수 밖에 없었고 선제골은 넣었지만 지킬 수가 없었다. 선두 인테르 추격에 큰 타격.

24/1/27
산 시로, 밀라노
23/24 세리에A 22R
밀란 2-2 볼로냐

로프터스 치크의 멀티골이 있었지만 모
따의 볼로냐는 역시 만만치 않았다.

24/1/28
자심 빈 하마드 스타디움, 도하
2023 AFC 아시안컵 16강
호주 4-0 인도네시아

역사상 최초로 16강에 오른 것 자체만
으로도 기적인 신태용 호의 인도네시아
지만 여기까지. 4골차로 벌어질만한 경
기는 아니었어서 조금은 아쉬움이 남을
것이다.

24/1/28
안필드, 리버풀
23/24 FA컵 32강
리버풀 5-2 노리치 시티

[오피셜]클롭 감독 올 시즌 끝으로 리 버풀과 결별

경기고 뭐고 콥들에게는 근래 가장 슬 픈 소식이 아닐 수 없다. 하지만 올 시 즌 끝도 아직 많이 남았으니 벌써 울기 는 좀 그렇고 어떤 결과물을 가져온 채 유종의 미를 거둘지 아님 그대로 끝날 지가 리버풀의 남은 시즌 관전 포인트.

24/1/28
아흐메드 빈 알리 스타디움, 알 라얀
2023 AFC 아시안컵 16강
타지키스탄 (pk 5-3) 1-1 UAE

역사상 최초로 16강에 올랐던 타지키 스탄의 기적은 8강까지 이어졌다. 다 만 그 희생양이 우리 벤버지라서 조금 안타깝게 되었다.

24/1/28
로드니 퍼레이드, 뉴포트
23/24 FA컵 32강
뉴포트 카운티 2-4 맨유

리그 2(4부 리그)의 중위권 팀 상대로 결코 쉽지 않은 승리를 거둔 맨유. 그래도 안토니가 마침내 1골 1도움으로 터졌다! 후반기 시점에서 4부 리그 팀을 상대하니까 드디어 시즌 1호골이 나온다.

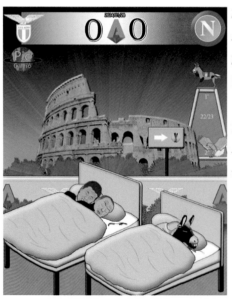

24/1/28
스타디오 올림피코, 로마
23/24 세리에A 22R
라치오 0-0 나폴리

지난 시즌 1,2위였던 그들이 지금은 다음 시즌 유럽 대항전 자체도 간당간당한 위치에서 싸우고 있다.

24/1/28
아르테미오 프란키, 피렌체
23/24 세리에A 22R
피오렌티나 0-1 인테르

또 사우디까지 가서 수페르코파를 또 먹고 돌아온 인테르에게 체력적 크리가 있을지언정 승리 외엔 없었다. 올 시즌 거의 독주 체제로 가는 분위기.

24/1/29
칼리파 인터내셔널 스타디움, 알 라얀
2023 AFC 아시안컵 16강
이라크 2-3 요르단

일본을 제치고 조 1위로 올라갔던 이라크는 조 3위로 올라온 요르단에게 역전의 역전 희생양이 되며 조별리그가 무색하게 집에 가고 말았다. 요르단의 정체를 알 수 없는 앉아서 손으로 밥먹는 세레머니를 이라크의 아이멘 후세인이 역전골을 넣고 따라하다가 경고 누적으로 퇴장. 그래도 추가시간에 그렇게까지 순식간에 2실점을 할 정도로 타격으로 다가올 줄은...? 엄청난 명승부를 펼치고 8강에 진출하는 요르단.

24/1/29
알 바이트 스타디움, 알 코르
2023 AFC 아시안컵 16강
카타르 2-1 팔레스타인

여기도 16강 올라와서 국민들에게 즐거움을 선사해주고 있는 것 자체가 기적인 팔레스타인인데 개최국이자 디펜딩 챔피언인 카타르에게도 썩 쉬운 경기는 아니었다.

24/1/29
아레키 스타디움, 살레르노
23/24 세리에A 22R
살레르니타나 1-2 로마

2006 월드컵의 영광을 함께했던 필자기와 데 로시가 세리에A에서 감독으로 만났다. 하지만 애석하게도 이 경기가 필자기의 구단에서의 마지막 경기가 되었다. 첫 원정 경기에서도 2-1 스코어로 승리하며 데 로시 볼은 2전 2승.

24/1/30
알 자눕 스타디움, 알 와크라
2023 AFC 아시안컵 16강
우즈베키스탄 2-1 태국

아시아 내에서 항상 다크호스로 꼽히
는 우즈벡이 결국 승리하긴 했으나 태
국도 작년 동남아 컵에서 우승한 만큼
많이 발전한 느낌이다.

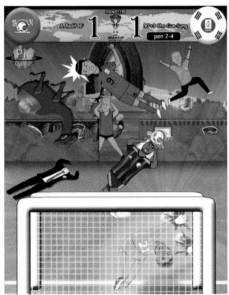

24/1/30
에듀케이션 시티 스타디움, 알 라얀
2023 AFC 아시안컵 16강
사우디 아라비아 1-1 (pk 2-4) 대한민국

이대로 16강 광탈하나? 싶던 대한민국
은 막판에 일 방적으로 몰아붙인 끝에
드디어 그가 해냈다! 조규성의 뚝배기.
발은 몰라도 머리는 찐이다. 그리고 승
부차기에서는 다른 조씨 조현우 아니
지지난 2018 월드컵에서 대활약을 펼
쳤던 빛현우가 다시 반짝이며 8강행을
이끌었다. 한 편 끝나기도 전에 경기장
을 나가버린게 화제가 된 이번 아시안컵 본선 감독 중 압도적 연봉을 자랑하는
만치니... 이미 자신들이 패배한걸로 끝난줄 알았다고 착각했다고 해명하긴 했
으나, 어쨌든 받는 돈이 얼만데 16강딱에 머무른 그의 거취는 과연...?

24/1/30
시티 그라운드, 노팅엄
23/24 프리미어리그 22R
노팅엄 포레스트 1-2 아스날

이 경기가 사우디와 한국의 아시안컵 16강 승부차기가 끝나고 1시간도 채 지나지 않아 치뤄진 주중 새벽 4시반 경기였는데 한국의 구너들은 과연 어찌했을지 궁금... 만약 아시안컵 경기 정규시간 다 날리고 추가시간부터 그리고 이 경기까지 본 한국의 구너들이 있다면 그들이 진정 승리자.

24/1/31
알 투마마 스타디움, 도하
2023 AFC 아시안컵 16강
바레인 1-3 일본

바레인도 애초에 어이가 없긴 할 것이다. 조별리그 마지막 경기에서 대한민국이 말레이시아에게 극장골을 허용하는 바람에 본인들이 조 1위를 당했는데 일본을 만나게 돼서 실력으로 당하며 이렇게 떨어져버리니... 일본은 도안, 쿠보 그리고 우에다의 양 사이드 멀티골에 힘입어 8강에 도약했다.

24/1/31

압둘라 빈 나세르 빈 칼리파 스타디움, 도하

2023 AFC 아시안컵 16강

이란 (pk 5-3) 1-1 시리아

PK로 선제골을 넣은 타레미, 그리고 PK로 실점한 상태에서 후반 인저리 타임에 경고 누적으로 퇴장을 당했다. 그래서 힘든 연장을 펼친 이란이지만 존버에 성공했고 승부차기에서 승리하며 8강행 막차를 탔다.

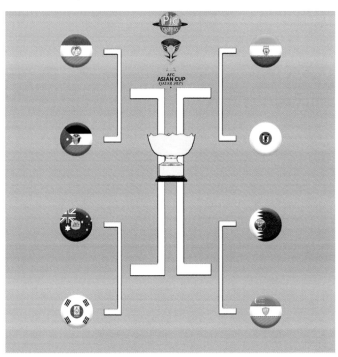

2023 AFC 아시안컵 8강

타지키스탄 - 요르단/ 호주 - 대한민국/
이란 - 일본/ 카타르 - 우즈베키스탄

24/1/31
토트넘 핫스퍼 스타디움, 런던
23/24 프리미어리그 22R
토트넘 3-2 브렌트포드

양봉업자이기도 한 캡틴 손이 아시안컵 차출로 없는데다 좀 더 없을 예정인 토트넘은 상대적으로 난적이었던 브렌트포드를 맞이하여 그래도 잘 해냈다.

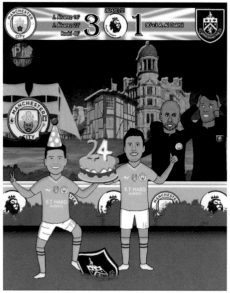

24/1/31
에티하드 스타디움, 맨체스터
23/24 프리미어리그 22R
맨시티 3-1 번리

알바레즈가 멀티골이 넣으며 이 날 생일을 맞이한데 이어 경기에서도 주인공이 되며 자축포를 터뜨렸다. 공식경기 8연승을 질주하는 시티이고 펩의 제자이자 이 팀의 레전드였다가 프리미어리그 감독으로 첫 시즌을 보내는 중인 콤파니는 정말 혹독한 수업을 치르고 있다.

24/1/31
안필드, 리버풀
23/24 프리미어리그 22R
리버풀 4-1 첼시

액면가말고 두 팀의 현재 전력 차를 고려하면 전혀 놀라운 스코어가 아니다. 이제 리버풀에서 마지막 시즌이 될 클롭 감독은 프리미어리그 200승 째를 달성하는 업적을 세웠다.

24/2/1
몰리뉴 스타디움, 울버햄튼
23/24 프리미어리그 22R
울버햄튼 3-4 맨유

여기가 OT는 아니지만 대단한 스릴러 경기를 벌인 끝에 꿈의 극장같은 승리를 가져간 팀은 맨유였고 그걸 안겨다 준 사나이가 05년생(18) 유망주 마이누였다. 이미 최근에 FA컵 위건전에서도 1군 팀 데뷔골을 넣은 데 이어 아주 임팩트 갑 오브 갑 타이밍에 프리미어리그 데뷔골을 터뜨리며 생일 전야인 텐 하흐 감독에게 아주 큰 보답을 하였다.

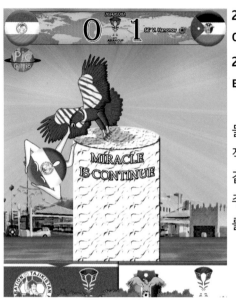

24/2/2
아흐마드 빈 알리 스타디움, 알 라얀
2023 AFC 아시안컵 8강
타지키스탄 0-1 요르단

둘 중 누가 이겨서 4강을 간다해도 기적의 연속이었는데 그 주인공은 우리와 같은 조와 요르단이 되었고 이따가 호주를 꺾고 4강에 진출한다면 리턴 매치를 갖게 된다.

24/2/2
알 자눕 스타디움, 알 와크라
2023 AFC 아시안컵 8강
호주 1-2 대한민국

굿윈은 우리 꺼!
사우디전에 이어 또 다시 0-1로 끌려가던 추가시간... 이번에는 그때만큼 몰아치는 분위기도 아니어서 이번엔 정녕 끝인가 싶었는데 2022 카타르 월드컵 때도 기적을 이끌었던 손황 듀오가 또 다시 구원자들이 되었다. 어쩌면 클린스만을 살려낸것이기도.

24/2/3
에듀케이션 시티 스타디움, 알 라얀
2023 AFC 아시안컵 8강
이란 2-1 일본

[오피셜]한일전 성사 실패. 누구 때문에...?
2라크한테도 1-2로 지더니 2란한테도... 1본이 이길 수 없었던 이유다. 그렇게 첫 알파벳 앞서있고 싶어서 Corea를 Korea로 바꾸더니만...ㅋ 아무튼 호주-한국과 더불어 또 다른 결승급 빅매치였는데 연장으로 돌입하나 싶던 와중에 일본 수비진들이 대형사고를 치며 그 기회를 놓치지 않은 이란. 타레미 없이도 성공했다. 월드컵 때도 그렇고 카타르 현지 청소부들이 좋아할 일본은 여기서 사요나라하고 말았다.

24/2/3
구디슨 파크, 리버풀
23/24 프리미어리그 23R
에버튼 2-2 토트넘

이번엔 친정팀한테 두 골을 꽂으며 두 번 미안해하는 히샤를리송. 하지만 결과적으로 미안해할 필요없다 어차피 못 이겼으니깐... 지난 시즌처럼 에버튼 원정에서 추가시간에 발목을 잡히는 토트넘.

24/2/3
알 바이트 스타디움, 알 코르
2023 AFC 아시안컵 8강
카타르 (pk 3-2) 1-1 우즈베키스탄

우즈벡이 카타르의 아시안컵 본선 연승을 11에서 끊어내긴 했지만 본인들의 여정은 여기서 끊어야 했다. 번외로 이 날 정규시간 내에 득점을 했던 카타르의 주장 하산 알 하이도스의 A매치 출전 수나 커리어를 보고 깜짝 놀라서 이 정도면 세계 축구에도 영향력을 선사할 만한 인물은 되겠다 싶어서 급히 얼굴을 생성했다. 현존하는 원클럽맨은 그렇다쳐도 이 선수가 A매치 관련하여 어떤 기록을 가지고 있는지는 구글링하여 현재 연령과 입각해서 확인해보시기 바람.

2023 AFC 아시안컵 4강

요르단 - 대한민국
이란 - 카타르

24/2/3
스타디오 베니토 스티르, 프로시노네
23/24 세리에A 23R
프로시노네 2-3 밀란

지금이 2023년이었으면 완벽한데...
어쨌든 밀란은 이 예쁜 써드 킷을 입고
쉽지 않은 원정이었지만 결과도 예쁘
게 가져갔다.

24/2/4
스타디오 디에고 아르만도 마라도나, 나폴리
23/24 세리에A 23R
나폴리 2-1 베로나

지난 시즌 모든 팀에게 1승씩 거두면
서 손쉽게 챔피언 자리에 올랐던 나폴
리. 하지만 올 시즌은 어느 팀을 상대
로던 1승 거두는 것 조차도 쉽지 않다.

24/2/4
스탬포드 브릿지, 런던
23/24 프리미어리그 23R
첼시 2-4 울버햄튼

이 경기가 24라운드였으면 완벽한데 아쉽다. 3일전 경기에서 4실점했던 첼시인데 그건 리버풀이니 그렇다치고 지금 이거는 무엇? 홈경기에서 마테우스 쿠냐에게 해트트릭을 허용하며 연달아 4실점 패배를 당하고 있는데 포체티노의 자리 이대로 정말 괜찮을지 ...?

24/2/4
올드 트래포드, 맨체스터
23/24 프리미어리그 23R
맨유 3-0 웨스트햄

멀티골은 기르나초이지만 호일룬이 최근에 각성하면서 득점포가 좀 터지다 보니까 팀 전체가 각성 중이다. 이번에는 모예스에게 복수 성공.

24/2/4
에미레이츠 스타디움, 런던
23/24 프리미어리그 23R
아스날 3-1 리버풀

우승 경쟁에 영향을 미칠 수 있는 빅 매치였는데 거너스가 꼭대기에 있던 리버풀을 잡으면서 흥미로워졌다. 물론 이들 사이에는 맨시티가 더 큰 변수지만.

24/2/4
게비스 스타디움, 베르가모
23/24 세리에A 23R
아탈란타 3-1 라치오

지난 시즌 밀란에 입단해서 0골이었다가 다른 상위권 팀으로 임대 가서 터지고 있는 CDK. 라치오를 상대로도 멀티골을 터뜨렸다.

24/2/4
쥐세페 메아짜, 밀라노
23/24 세리에A 23R
인테르 1-0 유벤투스

고양이들(가티)의 자책 결승골로 데르비 디탈리아의 승자 그리고 올 시즌 스쿠데토 가능성은 인테르에게. 꼭대기에 있던 인테르가 더 직접적으로 격차를 벌렸으니 PL과는 달리 이쪽은 우승 윤곽선이 강해지는 분위기다.

24/2/4
산티아고 베르나베우, 마드리드
23/24 라리가 23R
레알 마드리드 1-1 아틀레티코 마드리드

2월 초인데 올해에만 벌써 세번째 마드리드 더비. 모두 다른 장소인데 이번에는 레알 홈인데도 레알이 웃지는 못했다. 레알 출신 마르코스 요렌테에게 극장골을 먹히며 무승부를 거뒀지만 올 시즌 라리가 우승을 차지하는 데에는 그렇게 큰 타격이 될 것 같지는 않다.

24/2/4
스타디오 올림피코, 로마
23/24 세리에A 23R
로마 4-0 칼리아리

감독 유망주? 데 로시 감독은 자신의 스승인 라니에리가 이끄는 팀 상대로 4-0 대승을 거두며 비록 약팀들이긴 해도 3전 전승을 거두고 있다. 유베에서 임대해온 18살의 네덜란드 유망주 딘 하이센도 데뷔골을 터뜨렸다.

24/2/5
브렌트포드 커뮤니티 스타디움, 브렌트포드
23/24 프리미어리그 23R
브렌트포드 1-3 맨시티

드디어 홀란드와 데 브라이너가 함께 뛰는 가운데 PL에서 어제는 쿠냐 오늘은 포든이 해트트릭을 달성했다. 팀 대 팀으로도 시티는 지난 시즌 더블을 당했던 브렌트포드에게 이미 원정에서 승리하며 공식 경기 9연승을 달린다.

24/2/6
아흐마드 빈 알리 스타디움, 알 라얀
2023 AFC 아시안컵 4강
요르단 2-0 대한민국

스코어도 스코어지만 무슨 브라질을 상대하는 것도 아닌데 유효슈팅 0이라... 정말 할 말이 읎다. 아무리 요르단이 난다 긴다 해도 유럽에서 뛰는 선수가 단한 명(저기 알 타마리-몽펠리에)뿐인 팀에게...?! 요르단에게 결승행이라는 기적을 안겨준 클린스만의 거취에 대해서 말이 많을 수 밖에 없을 듯 하다. 하긴 조별리그부터 매경기 실점하는 팀이 어찌 우승을 할까. 이제는 3,4위전도 없어서 바로 짐을 싸야 한다. 그래 차라리 없는게 낫다 그런 건.

24/2/7
알 투마마 스타디움, 도하
2023 AFC 아시안컵 4강
이란 2-3 카타르

여기도 예상과는 달리 개최국 카타르가 난적 이란을 꺾고 결승에 오르며 디펜딩 챔피언의 위용을 지킬 수도 있게 되었다. 카타르가 지난 2019 대회부터 아시안컵 본선 13연속 무패(12승 1무)를 달리고 있는데 그 희생양에는 한국, 일본, 이란등이 모두 포함되어 있다.

24/2/10
루사일 아이코닉 스타디움, 루사일
2023 AFC 아시안컵 결승
요르단 - 카타르

다크호스의 돌풍 vs 2연패 도전

24/2/7
빌라 파크, 버밍엄
23/24 FA컵 32강 재경기
아스톤 빌라 1-3 첼시

첼시가 웬일로... 리그에서 상위에 위치한 빌라를 상대로 홈에서 좋은 결과를 못내서 원정으로 온 건데 이걸 승리하고 16강에 진출하였다. 이번에 처음 그리고나서 보니 이 경기 전 날이 생일이었던 코너 갤러거.

24/2/10
루사일 아이코닉 스타디움, 루사일
2023 AFC 아시안컵 결승
요르단 1-3 카타르

한 경기에서 PK가 3개 나오기도 쉽지 않은데 결승전에서 3개가 나와서 한 선수가 PK만으로 해트트릭을 달성한다라... 카타르가 지난 2019 대회부터 본선 14경기 무패 행진(13승 1무)을 달리면서 2연패라라는 업적을 달성하며 이쯤 되면 아시아의 확실한 신흥 강호라고 할 수 있겠다. 오늘의 주인공인 아피프는 대회 득점왕에 올랐고 주장 알 하이도스는 지난 2022 월드컵 결승전 시상식에서 메시처럼 곤룡포라는 의상을 입고 월드컵 트로피보다도 더 크고 멋드러진 아시안컵 트로피를 들어올리며 이번 대회 막을 내렸다.

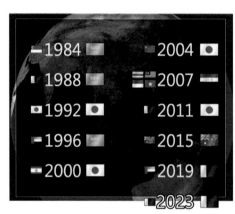

카타르 2연패

2023 AFC 아시안컵 결산

성적을 파헤쳐보니 한국은 3위도 아닌 4위... 위너 자리에 서는 것을 과연 언
제 쯤 볼 수 있을런지...?! 최근 두 대회로 한국은 카타르와 동률이 되었다.

24/2/10
에티하드 스타디움, 맨체스터
23/24 프리미어리그 24R
맨시티 2-0 에버튼

오랜만에 보는듯한 홀란드의 멀티골.
공식 경기 10연승을 달성한 맨시티,

24/2/10
안필드, 리버풀
23/24 프리미어리그 24R
리버풀 3-1 번리

강등이 유력해보이는 번리를 무난히 꺾
고 올 시즌 리그 우승의 꿈을 이어가는
리버풀.

24/2/10
토트넘 핫스퍼 스타디움, 런던
23/24 프리미어리그 24R
토트넘 2-1 브라이튼

아니 시간대가 하필 아시안컵 결승과 똑같은 킥오프 타임이다... 도하에서 결승전을 치르고 있으면 좋았을 손흥민이지만 그래도 소속팀 벤치로 복귀하여 교체 투입되어 팀의 극장승을 어시스트했다.

24/2/10
스타디오 올림피코, 로마
23/24 세리에A 24R
로마 2-4 인테르

장대비가 내리는 로마에서 자신의 생일 당일 밤 득점을 터뜨린 아체르비를 시작으로 난타전 끝에 결국 승자는 오직 승리 외엔 잊은 인테르였다. 100% 승률을 달리고 있던 데 로시 볼의 진정한 시험대였지만 올해 전승을 달리고 있는 인테르를 도저히 막을 순 없었다.

24/2/10
바이 아레나, 레버쿠젠
23/24 분데스리가 21R
레버쿠젠 3-0 바이에른 뮌헨

비뮌헨 팀이 후반기에도 분데스리가 우승의 꿈을 꾸려면 뮌헨을 넘어야만 하는데 제대로 넘었다. 지면 뒤집힐 수 있는 승점 차이였는데 레버쿠젠이 오히려 완승을 거두며 뮌헨과의 격차를 5점차로 벌렸다.

24/2/11
올림픽 스타디움, 런던
23/24 프리미어리그 24R
웨스트햄 0-6 아스날

아스날 본인들 프리미어리그 역사상 원정 최다 득점 차 승리 기록 갱신. 전반기 홈경기에서 패배를 안기기도 했고 잔뼈가 굵은 웨스트햄이 상대팀이라 굉장히 의외.

24/2/11
빌라 파크, 버밍엄
23/24 프리미어리그 24R
아스톤 빌라 1-2 맨유

전반기 빌라전 때도 그렇고 요즘 터지고 있는 호일룬의 활약에 힘입어 맨유는 상위에 있는 빌라를 상대로 올 시즌 더블을 달성하며 살아날 기미를 보이는 중.

24/2/11
산 시로, 밀라노
23/24 세리에A 24R
밀란 1-0 나폴리

올 시즌 와장창 무너져버린 디펜딩 챔피언 나폴리 때문에 로마-인테르보단 덜 빅매치가 되었고 역시 나 밀란의 승리로 끝났다. 포스(fourth) 킷을 입고 나왔는데 난 아직도 네번째 킷을 굳이 왜 만드는지 모르겠음 새로 그리기 귀찮게 꽤... 포스는 있어보인다. 이로써 밀란은 필자기가 이끌던 14/15 전반기 때 메네즈와 보나벤투라가 득점한 2-0 승리 이후 10년만에 산 시로에서 나폴리를 상대로 승리. (당시 나폴리 감독 베법사...)

24/2/11
스타드 올림피크 알라산 우아타라, 아비장
2023 네이션스컵 결승
나이지리아 1-2 코트디부아르

드록국에서 열린 대회였는데 이 날 실제로 드록국의 요즘 유니폼을 입고 직관 중이던 드록신도 선수 시절 이뤄보지 못한 네이션스컵 우승을 마침내 달성하였다. 통산 3번째 우승.

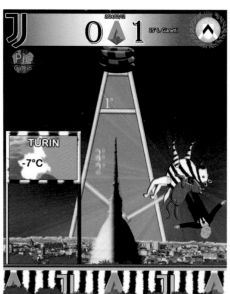

24/2/12
알리안츠 스타디움, 투린
23/24 세리에A 24R
유벤투스 0-1 우디네세

하다하다 이젠 중하위권 팀과 붙는 홈경기에서조차 실족을 하며 선두 인테르와의 격차가 점점... 지난 주에는 맞대결에서 패하더니 슬슬 맛탱이 가기 시작.

24/2/12
셀허스트 파크, 런던
23/24 프리미어리그 24R
크리스탈 팰리스 1-3 첼시

코너 갤러거 여기서 드디어 첫 등장.
멀티골은 못 참지... 갤러거의 선제골,
극장 결승골 그리고 엔소의 쐐기골로
팰리스를 무너뜨렸다.

24/2/13
파르켄, 코펜하겐
23/24 UEFA 챔피언스리그 16강 1차전
코펜하겐 1-3 맨시티

챔스 디펜딩 챔피언인 맨시티도 지난
시즌 조별리그 때 이곳에서 승리하지
못했었는데 그리 힘을 많이 쓰진 않았
을 것이다. 공식 경기 11연승을 달리며
2연패를 향한 출발.

24/2/13
레드불 아레나, 라이프치히
23/24 UEFA 챔피언스리그 16강 1차전
라이프치히 0-1 레알 마드리드

이쪽도 마찬가지로 지난 시즌 조별리그
때 여기서 패했던 레알이었는데 역시
토너먼트는 달랐다.

24/2/14
스타디오 올림피코, 로마
23/24 UEFA 챔피언스리그 16강 1차전
라치오 1-0 바이에른 뮌헨

올 시즌 마침내 분데스리가 연패에 실
패하는게 유력해진 뮌헨인데 챔스에서
도 이 정도...? 지난 시즌 맨시티랑 할
때 호러쇼 펼치더니 이번엔 아예 퇴장
당하며 PK 내준 우파메카노. 이기고도
스코어 차이를 더 못 벌린게 아쉽게 느
껴질 만한 라치오다.

24/2/14
파르크 데 프랭스, 파리
23/24 UEFA 챔피언스리그 16강 1차전
PSG 2-0 레알 소시에다드

아시안컵 때 대표팀에서 문제를 일으키는게 밝혀진 '그녀석'의 팀. 장본인은 보이지 않았고 챔스에서 파리 경기를 볼 때면 음바페의 활약상을 보는 날. 그리고 02년생 바르콜라의 추가골로 조별리그에서 인테르를 제치고 무패로 1위를 통과했던 소시에다드를 가볍게 제압했다.

24/2/15
스타디온 페예노르트, 로테르담
23/24 UEFA 유로파리그 16강 P.O 1차전
페예노르트 1-1 로마

유럽대항전으로 세 시즌 연속으로 만나고 있으며 만나면 만날수록 사이가 나빠지는 커플이다. 차이점이 있다면 지난 번까지는 무리뉴였고 이번엔 데 로시인데 유럽대항전 첫 시험무대 치고는 일단 나쁘지 않은 결과.

24/2/15
산 시로, 밀라노
23/24 UEFA 유로파리그 16강 P.O 1차전
밀란 3-0 스타드 렌

로프터스 치크의 멀티골로 프랑스의 로
쏘네리를 아주 가볍게 제압한 이탈리아
의 로쏘네리. 그래도 전통적으로 '빨검'
하면 밀란. 챔스에서 조 3위로 강등 당
하여 여기 출전하지만 유럽대항전에서
의 근본력을 앞세워 이참에 우승을 노
려본다.

24/2/16
쥐세페 메아짜, 밀라노
23/24 세리에A 25R
인테르 4-0 살레르니타나

애초에 1위와 꼴찌의 맞대결이었으니
어느 정도 예상은 됐던 결과였다. 인테
르는 로마전에 이어 연달아 4골을 퍼부
으며 2024년 전승 그리고 부동의 1위
를 달리고 있다.

24/2/17
브렌트포드 커뮤니티 스타디움, 브렌트포드
23/24 프리미어리그 25R
브렌트포드 1-4 리버풀

네이션스컵 이후 복귀한 살라가 역시 존재감을 뽐내며 팀의 대승에 기여했다. 하지만 커티스 존스와 조타가 부상으로 실려나가서 안 조타.

24/2/17
스타디오 디에고 아르만도 마라도나, 나폴리
23/24 세리에A 25R
나폴리 1-1 제노아

세리에A에서 익숙하긴 해도 올 시즌 승격팀인 제노아인데 그들한테마저도 질 뻔한거 겨우 비긴 디펜딩 챔피언 나폴리. 2010년대 초반 나폴리와 좋은 시절을 보낸 마짜리지만 추억은 그저 추억으로 남겨둬야... 벌써 올 시즌 두 명의 감독을 경질 시킨 나폴리인데 스쿠데토 한 번 먹고나니 오히려 더 힘든 시간을 보내고 있다.

24/2/17
토트넘 핫스퍼 스타디움, 런던
23/24 프리미어리그 25R
토트넘 1-2 울버햄튼

아시안컵이 끝난지 얼마 안됐지만 손황 그들이 또 만났다 이번엔 상대팀으로. 주앙 고메스의 멀티골로 코리안 더비는 황팀 승리. 울브스는 토트넘 상대로 올 시즌 더블.

24/2/17
터프 무어, 번리
23/24 프리미어리그 25R
번리 0-5 아스날

이 노검 어웨이 킷을 입고 지난 웨스트햄 원정에 이어서 2경기에서 11골을 퍼부으며 원정 깡패 노릇을 하고 있는 거너스. 최근 리그 5연승(vs 팰리스-노팅엄-리버풀-웨스트햄-번리).

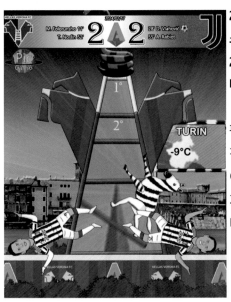

24/2/17
스타디오 벤테고디, 베로나
23/24 세리에A 25R
베로나 2-2 유벤투스

팽팽하던 선두 인테르와의 격차가 -2 점차에서 맞대결 패한 것을 포함하여 어느덧 -9점차까지 벌어졌다. 입춘은 지났어도 아직 겨울 시점이긴 한데 유베는 점점 추워진다.

24/2/17
에티하드 스타디움, 맨체스터
23/24 프리미어리그 25R
맨시티 1-1 첼시

스털링이 비수 제대로 꽂았다. 지난 시즌까지 맞대결에서 승리를 쉽게 내주던 첼시가 올 시즌은 그래도 두 번 모두 무승부를 거두며 맨시티를 난처하게 했다. 시티의 공식경기 12연승은 무산됐고 이제 15연속 무패 행진으로(13승 2무).

24/2/18
케닐워스 로드, 루턴
23/24 프리미어리그 25R
루턴 타운 1-2 맨유

"지금까지 호일룬 쇼를 시청해주셔서 감사합니다."
7분만에 벼락과도 같은 멀티골을 터뜨리며 최근 포텐 터지며 기세가 매우 좋았던 호일룬인데 부상으로 실려나가며 아쉬움을 삼켜야 했다. +루크 쇼까지...

24/2/18
스타디오 베니토 스티르페, 프로시노네
23/24 세리에A 25R
프로시노네 0-3 로마

지난 주 인테르는 당할만한 팀이니까 당한거고 그 외 상대적 약팀은 놓치지 않고 다 잡아내고 있는 데 로시 볼. 불과 6년전만 해도 같이 챔피언스리그 4강 신화를 썼던 자신의 스승 디 프란체스코 감독 상대로 완승을 거뒀다.

24/2/18
스타디오 코무날레 브리안테오, 몬차
23/24 세리에A 25R
몬차 4-2 밀란

지난 나폴리전에는 포스 킷이랍시고 검은 거 입고 나오더니 이번엔 또 새로운 허연 거...? 혼란스럽다. 또 한 경기 입고 말건데 이번엔 몬차한테 패배한 킷으로 기억될 것. 요비치의 기행으로 인한 다이렉트 퇴장이 변수가 되었다.

24/2/20
에티하드 스타디움, 맨체스터
23/24 프리미어리그 18R (순연경기)
맨시티 1-0 브렌트포드

[오피셜]홀란드 입단 후 PL 전 구단 상대로 득점
지난 시즌 입단한 그는 다른 빅6 클럽들은 물론이고 지금은 강등된 레스터, 사우스햄튼, 리즈 그리고 올 시즌 승격팀 루턴 타운, 셰필드, 번리 상대로도 모두 득점을 뽑아냈고 마지막 퍼즐이 브렌트포드였는데 미션 컴플리트. 1.8 시즌만에 정말 말도 안되는 기록.

24/2/20
쥐세페 메아짜, 밀라노
23/24 UEFA 챔피언스리그 16강 1차전
인테르 1-0 아틀레티코 마드리드

베로나전이 생각날 정도로 두 번의 완벽한 찬스를 하늘로 날려버리며 또 남의 팀 활약을 펼친 아르나우토비치이지만 그래도 삼세판 놓치진 않았다. 솔직히 그것도 못 넣을 줄... 1차전은 홈팀 심버지가 웃었지만 1골 차 승리가 아쉬울 정도.

24/2/20
필립스 스타디온, 에인트호번
23/24 UEFA 챔피언스리그 16강 1차전
PSV 1-1 도르트문트

PSV 출신 도니얼 말렌의 선제골을 필두로 네덜란드에서 네덜란드인들끼리 득점을 나누며 사이 좋게 무승부.

24/2/21
안필드, 리버풀
23/24 프리미어리그 26R
리버풀 4-1 루턴 타운

리버풀도 챔스 16강 1차전 홈경기에서 완승을 거두며 8강이 보인... 아 참 이거 리그지. 현재 리버풀의 모양새를 보면 다음 시즌에 적어도 이 맘 때 챔스 정도는 치루고 있을 듯 하다.

24/2/21
에스타디우 두 드라강, 포르투
23/24 UEFA 챔피언스리그 16강 1차전
포르투 1-0 아스날

원정에서 0-0 무승부 정도로 나쁘지 않게 마치고 가나?했던 아스날이었을 텐데 마지막 순간에 버저비터로 얻어 맞고 간다. 갈레노의 극장골.

113

24/2/21
스타디오 디에고 아르만도 마라도나, 나폴리
23/24 UEFA 챔피언스리그 16강 1차전
나폴리 1-1 바르셀로나

둘 다 마라도나의 친정팀이기도 하다. 이 그림은 그냥 프리뷰라고 해도 될 법 한게 양 팀에서 각각 자랑할만한 주포 인 오시멘과 레반도프스키가 나란히 사이 좋게 득점을 나눴다.

24/2/22
로아존 파르크, 렌
23/24 UEFA 유로파리그 16강 P.O 2차전
스타드 렌 3-2 밀란
통합 3-5

지난 몬차와의 리그 경기에서 어처구니 없는 다이렉트 퇴장을 당하며 패배의 원흉이 된 요비치. 이번 득점으로 사죄 포가 될 수 있을지...? 이번 경기에서 자 칫하면 스타드 렌의 대역전극의 발판이 마련될 수도 있는 상황에서 맥을 끊는 역할을 하면서 밀란의 플레이오프 통과 에 일조.

24/2/22
스타디오 올림피코, 로마
23/24 UEFA 유로파리그 16강 P.O 2차전
로마 1-1 페예노르트
통합 2-2, 승부차기 4-2

"항상 로마다" 승자는. 세 시즌 연속 만나고 있는 페예노르트는 무리뉴가 해도 데 로시가 해도 승리는 항상 로마의 것. 이번에는 승부차기에서 갈렸으니 가장 아슬아슬하긴 했다. 양팀에 아즈문과 자한바크쉬 이란에서 중요한 역할을 하는 두 선수의 페르시안 더비는 경기를 뛰지 않은 아즈문의 승리였다. 자한바크쉬는 키커로 나서서 실축.

24/2/23
바이 아레나, 레버쿠젠
23/24 분데스리가 23R
레버쿠젠 2-1 마인츠

알론소의 레버쿠젠 지난 시즌 중후반부터 이어진 분데스리가 33경기 연속 무패 행진 신기록! 20/21 바이에른 뮌헨의 32연속 무패 기록을 깸과 동시에 올 시즌 선두 자리에서도 한 참 앞서 있기에 드디어 12년만에 '타 팀'의 분데스리가 우승을 볼 수 있을지도.

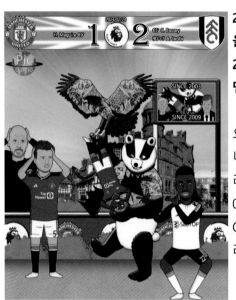

24/2/24
올드 트래포드, 맨체스터
23/24 프리미어리그 26R
맨유 1-2 풀럼

요즘 볼만했던 호일룬 쇼가 중단되다보니 바로 홈에서 풀럼한테도 지는...? 프리미어리그에서의 맞대결 통틀어서 2009년 이후 15년만에 첫 패배, 그리고 OT에서 패한 것은 2003년 이후 처음이라고 한다.

24/2/24
바이탈리티 스타디움, 본머스
23/24 프리미어리그 26R
본머스 0-1 맨시티

포든의 결승골로 의외로 한 골 차 승리를 가져간 시티. 어쨌든 공식경기 17연속 무패를 달리며 열심히 리버풀을 따라가는 중.

24/2/24
에미레이츠 스타디움, 런던
23/24 프리미어리그 26R
아스날 4-1 뉴캐슬

오늘도 완승을 거두며 리그 6연승을 질주하는 아스날인데 영 찜찜하다 주중에 포르투한테는 그 실력 발휘를 못하고 챔스 16강 1차전을 지고 왔으니.

24/2/25
알리안츠 스타디움, 투린
23/24 세리에A 26R
유벤투스 3-2 프로시노네

블라호비치의 멀티골이 있었지만 팀을 구해낸 것은 다름 아닌 루가니였다. 잔류권을 다투는 승격팀 프로시노네와 진땀 승부 끝에 겨우 승리를 따냈다.

24/2/25
사르데냐 아레나, 칼리아리
23/24 세리에A 26R
칼리아리 1-1 나폴리

지난 시즌 챔피언인 이 팀은 안 그래도 유럽대항전에라도 나가기 위해 고군분투하고 있는데 그마저도 쉬워보이지는 않는다... 잔류를 다투는 칼리아리에게 마저 발목 잡히며 극장 무승부 허용.

24/2/25
웸블리 스타디움, 런던
23/24 카라바오컵 결승
첼시 0-1 리버풀

마지막 시즌을 보내는 클롭은 일단 카라바오컵이라도 확보하며 선수들과 함께 하루를 즐겼다. 가장 가치가 떨어지는 컵대회지만 포체티노는 최근 2년간 폭락한 팀을 이끌고 팬들에게 트로피를 선사할 수 있는 결승까지 왔는데 아쉽게 되었다.

24/2/25
비아 델 마레, 레체
23/24 세리에A 26R
레체 0-4 인테르

라우타로의 세리에A 100호골에 이어 101호골까지 터지며 또 다시 팀은 대승을 거두었다. 10연승도 10연승인데 3경기 연속으로 4득점을 하고 있는 미친 인테르.

24/2/25
산 시로, 밀라노
23/24 세리에A 26R
밀란 1-1 아탈란타

지난 1월 10일 코파 이탈리아에서의 맞대결과 이번 경기는 과연 차이점이 얼마나 있을까...? 그래 밀란 입장에서는 그 때보다는 나은 결과.

24/2/26
스타디오 올림피코, 로마
23/24 세리에A 26R
로마 3-2 토리노

해트트릭을 터뜨린 디발라. 디발라의
그것은 지난 2018년 10월 유베 시절
챔스 조별리그에서 영 보이즈를 상대로
터뜨린 이후 아주 오랜만이다.

24/2/26
아르테미오 프란키, 피렌체
23/24 세리에A 26R
피오렌티나 2-1 라치오

최소한의 유럽대항전을 위해 싸우고
있는 두 팀인데 나폴리도 나폴리지만
지난 시즌 2위였던 라치오도 그것이
쉽지 않아 보인다.

24/2/27
케닐워스 로드, 루턴
23/24 FA컵 16강
루턴 타운 2-6 맨시티

작년 3월 챔스 16강 2차전 라이프치히전에서 혼자 5골을 터뜨렸던 홀란드는 1년도 안되는 기간 내에 그것을 또 해냈다. PK도 없이말이다. 데 브라이너의 4도움에도 힘입어 시티는 가볍게 8강에 진출했고 공식경기 18연속 무패.

24/2/28
마페이 스타디움, 치타 델 트리콜로레
23/24 세리에A 21R (순연경기)
사수올로 1-6 나폴리

나폴리에겐 정말 오아시스같은 달콤하고 시원한 대승이었다. 지난 시즌 사수올로를 상대로 해트트릭을 했던 오시멘이었는데 오늘 또 터뜨렸다.

24/2/28
스탬포드 브릿지, 런던
23/24 FA컵 16강
첼시 3-2 리즈

3일전 리그컵에게 외면받았던 첼시지만 그래도 그보다 훨씬 위상이 높은 FA컵은 노려 볼 수 있다. 지난 시즌 강등됐던 리즈를 가까스로 꺾고 8강 안착.

24/2/28
시티 그라운드, 노팅엄
23/24 FA컵 16강
노팅엄 포레스트 0-1 맨유

카세미루의 늦은 선제 결승골로 맨유도 노팅엄의 숲을 뚫고 8강에 안착.

24/2/28
쥐세페 메아짜, 밀라
23/24 세리에A 21R (순연경기)
인테르 4-0 아탈란타

상대가 하위권이건 챔스 경쟁권이건
상관없이 후들겨 패고 있는 인테르는
리그 4경기 연속 4골이라는 엽기적인
기록을 쓰고 있다. 겨울만 되면 고꾸라
지던 그들의 고질적인 모습은 온데간
데 없이 2024년 전승으로 11연승. 그
리고 모자라던 한 경기를 승리로 채움
으로써 2위 유베와의 격차는 12점차로
벌어졌다.

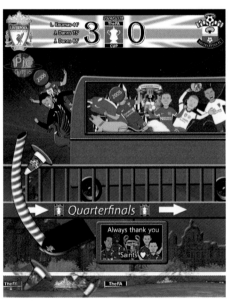

24/2/28
안필드, 리버풀
23/24 FA컵 16강
리버풀 3-0 사우스햄튼

유독 리버풀에게 여러 모로 아낌없이
내주는 사우스햄튼인데 강등되었어도
여전하다 하긴 더 내줬으면 내줬지...
05년생과 06년생 선에서 해결 가능한
리버풀의 한 판이었다. 8강행 막차 탑승.

24/3/1
스타디오 올림피코, 로마
23/24 세리에A 27R
라치오 0-1 밀란

한 경기 한 팀에만 3퇴장... 20년 가까이 축구 보면서 개인적으로는 처음 보는 듯. 라치오 입장에서 속이 뒤집어질 만 했던 것은 퇴장들보다도 마르코 디 벨로 주심의 매끄럽지 못했던 진행들. 결국 이 주심은 협회의 징계를 받았다.

24/3/2
브렌트포드 커뮤니티 스타디움, 브렌트포드
23/24 프리미어리그 27R
브렌트포드 2-2 첼시

비가 많이 오는 3월 초의 낮 포체티노가 첼시 감독 부임 이후 맞이한 첫 생일 당일이었는데 승리를 챙기는 데에는 실패했다.

24/3/2

시티 그라운드, 노팅엄

23/24 프리미어리그 27R

노팅엄 포레스트 0-1 리버풀

경기가 닫히기 전 다윈 누녜즈의 90'+9분 극장골로 리버풀은 승점 3점에 간신히 세이프. 선두 자리를 지켜나간다.

24/3/2

토트넘 핫스퍼 스타디움, 런던

23/24 프리미어리그 27R

토트넘 3-1 크리스탈 팰리스

손흥민이 합류한 15/16 시즌부터 토트넘은 크리스탈 팰리스 상대로 홈 8연승을 이어가는데다가 그 중심에는 손흥민의 득점이 주로 있다. 그의 프리미어리그 데뷔골 상대이기도.

24/3/2
스타디오 코무날레 브리안테오, 몬차
23/24 세리에A 27R
몬차 1-4 로마

오늘도 화력 터지며 상대적 약팀만큼은 확실하게 잡아내는 데 로시 볼은 어느덧 챔스권까지 노릴 수 있을 정도의 궤도까지 올라왔다.

24/3/3
에티하드 스타디움, 맨체스터
23/24 프리미어리그 27R
맨시티 3-1 맨유

웬일로 맨유가 선제골을 넣었나했지만 후반에 역시는 역시... 이곳에서의 지난 맨더비에서 동반 해트트릭을 시전하며 미쳐 날뛰던 포든과 홀란드였는데 이번에도 둘이서 해결을 했다. 맨유 입장에서는 그래도 3-6 스코어 보다는... 이번에도 맨더비 완승을 거두며 공식경기 19연속 무패를 이어가는 시티.

24/3/3
스타디오 디에고 아르만도 마라도나, 나폴리
23/24 세리에A 27R
나폴리 2-1 유벤투스

라스파도리가 막판에 유베 잡는 장면? 뭔가 익숙하다. 지난 시즌에는 본인들의 스쿠데토를 거의 확정 짓는 승리였다면 이번에는 유베의 스쿠데토를 향한 꿈을 더 짓밟는 승리 정도. 나폴리에게는 본인들 상황이 어떻건 간에 유베전 승리는 항상 짜릿.

24/3/4
쥐세페 메아짜, 밀라노
23/24 세리에A 27R
인테르 2-1 제노아

어제 유베의 패배로 오늘 이기면 15점 차 선두가 되는 인테르는 결국 그것을 해냈다. 비록 5경기 연속 4득점에는 실패했지만 2024년 공식 경기 12전 전승을 3월에도 이어나간다.

24/3/4
브래몰 레인, 셰필드
23/24 프리미어리그 27R
셰필드 유나이티드 0-6 아스날

역시 처음이 어렵지 그 다음은 비교적
쉬운가보다. 지난 2월 11일 웨스트햄전
에서 PL 원정경기 6골 차 승리라는 자
체 역사를 썼던 창단 138년차 아스날
이 단 24일만에 타이기록을 또 세웠다.
득점 시간대를 보면 충분히 갱신할수도
있었으며 리그 6연승.

24/3/5
알리안츠 아레나, 뮌헨
23/24 UEFA 챔피언스리그 16강 2차전
바이에른 뮌헨 3-0 라치오
통합 3-1

1차전 원정 가서 졌어도 2차전 홈에서
무자비하게 뒤집어버리던 바이언이었
는데 올 시즌은 어쩌면 그러지 못하겠
다는 생각이 들기도 했으나... 케인이
살렸다 안 그래도 올해는 정녕 당연하
게 여기던 분데스리가 우승도 못할 판
인데 이거마저 떨어졌으면...?

24/3/5

레알레 아레나, 바스크

23/24 UEFA 챔피언스리그 16강 2차전

레알 소시에다드 1-2 PSG

통합 1-4

뎀벨레와 이강인의 도움을 받아 음바페가 멀티골을 터뜨리며 8강행 티켓을 그리 어렵지 않게 거머쥐었다.

24/3/6

에티하드 스타디움, 맨체스터

23/24 UEFA 챔피언스리그 16강 2차전

맨시티 3-1 코펜하겐

통합 6-2

맨시티 챔피언스리그 본선 10연승+클럽에 가입. 13/14~14/15 레알이 10연승, 19/20~20/21 바이언이 15연승 그리고 22/23~23/24 맨시티가 10연승 진행 중이다. 만약 이런 기록을 세우는 동안 빅이어라는 결과물을 못 얻으면 좀 우스울수도 있는데 공통적으로 그건 다 가지고 있다. 그리고 시티는 최근 공식 경기 20연속 무패.

24/3/6
산티아고 베르나베우, 마드리드
23/24 UEFA 챔피언스리그 16강 2차전
레알 마드리드 1-1 라이프치히
통합 2-1

천하의 레알도 이번엔 아슬아슬했다. 창단 122주년을 맞이한 당일인데 적어도 구단의 생일상이 망쳐지진 않았다. 비니시우스 vs 오르반 오늘의 각 득점자이기도 하고 둘이 펼친 신경전이 화제의 장면. 아니 신경전보다는 한 쪽의 일방적인 추태에 가깝다. 그 원인이 인종차별적 발언을 들은게 아니고서야...?

24/3/7
스타디오 올림피코, 로마
23/24 UEFA 유로파리그 16강 1차전
로마 4-0 브라이튼

아무리 위상이 많이 올라간 프리미어리그 팀이더라도 데 로시 볼을 장착한 AS 로마의 벽은 높았다. 그래도 로마가 4대 떡으로 후들겨 팰거라고는...?

24/3/7
에펫 아레나, 프라하
23/24 UEFA 유로파리그 16강 1차전
스파르타 프라하 1-5 리버풀

체코의 최강 명문팀이라 하더라도 클
롭의 리버풀 앞에서는... 이쪽은 로마
보다도 8강행이 거의 확정 수준.

24/3/7
산 시로, 밀라노
23/24 UEFA 유로파리그 16강 1차전
밀란 4-2 슬라비아 프라하

이쪽 프라하도 바뀐지 얼마 안 된 엠블
럼처럼 별이 보일 정도로 후들겨 맞았
다. 그래도 로마 경기나 리버풀 경기에
비하면 2차전은 아모른직다 수준.

24/3/8
스타디오 디에고 아르만도 마라도나, 나폴리
23/24 세리에A 28R
나폴리 1-1 토리노

뻑하면 실족하는게 더 이상은 놀랍지도 않은 올 시즌 나폴리. 10경기가 남아있는데 이번 라운드에서 인테르가 승리할 시 산술적으로 나폴리의 타이틀 방어 실패는 오피셜이 된다.

24/3/9
올드 트래포드, 맨체스터
23/24 프리미어리그 28R
맨유 2-0 에버튼

전반전 브루누와 래쉬포드 각기 다른 PK 키커의 한 방씩으로 무난하게 승리.

24/3/9
레나토 달라라, 볼로냐
23/24 세리에A 28R
볼로냐 0-1 인테르

[오피셜]나폴리 타이틀 방어 실패 확정
당일 창단 116주년을 맞이한 인테르다. 2010년 대역사를 세우는데 공헌했던 티아고 모따가 감독으로 이끄는 볼로냐 원정은 아주 껄끄럽기만 했는데 이번만큼은 모따도 인테리스타로써 생일잔치에 동참. 2024년 공식경기 13전 전승 그리고 리그 10연승으로 계속해서 선두를 질주.

24/3/9
에미레이츠 스타디움, 런던
23/24 프리미어리그 28R
아스날 2-1 브렌트포드

이 날 좀 위태위태했으나 하베르츠의 결승골로 7연승을 이어가는 거너스.

24/3/10
빌라 파크, 버밍엄
23/24 프리미어리그 28R
아스톤 빌라 0-4 토트넘

챔스권을 쥐고 있는 빌라를 대파하며
일단 위협에는 성공한 토트넘.

24/3/10
산 시로, 밀라노
23/24 세리에A 28R
밀란 1-0 엠폴리

풀리식 결승골. 딱히 할 말이 읎네.

24/3/10
안필드, 리버풀
23/24 프리미어리그 28R
리버풀 1-1 맨시티

우승권을 다투는 펩클라시코였는데 사이 좋게 비겼다. 공식 경기 21연속 무패의 맨시티이지만 리버풀을 넘는데 실패. 여기서 승자는 어제 이기면서 선두를 지키게 된 아스날.

24/3/10
알리안츠 스타디움, 투린
23/24 세리에A 28R
유벤투스 2-2 아탈란타

유베는 황탈란타와 비기며 이제 1점차로 따라 잡았다? 아니 이제 선두 인테르와의 격차를 논할게 아니라 이제는 밀란한테도 제껴져서 3위로 내려 앉았다. 이번 라운드 밀란에 대한 할 말은 여기서 생겼다.

24/3/10
아르테미오 프란키, 피렌체
23/24 세리에A 28R
피오렌티나 2-2 로마

접전이었는데 피렌체의 캡틴 비라기가 놓친 PK가 이런 부메랑으로... 두 번째 패배를 적립할 수 있었던 DDR볼의 로마였는데 극적으로 무승부라도 건졌다.

24/3/11
스타디오 올림피코, 로마
23/24 세리에A 28R
라치오 1-2 우디네세

"고생 많았고 또 만나요 나의 단골 손님 담배 아저씨"
지난 리그 경기에서 3퇴장당한 여파가 여기까지 영향을 끼친 것일까... 피오렌티나전부터 해서 직전 바이언과의 챔스 2차전에서 역전패 탈락 그리고 이 날까지 공식경기 4연패를 당한 사리 감독은 직후에 사임 하였다. 2015년에 시작된 Piccalcio에서 나폴리 감독으로 등장했던 사리 감독은 이후 첼시-유벤투스를 거쳐 라치오 사령탑에 이르기까지 단골 손님이었고 자주 등장시키다보니 혼자 정 들었는데 은퇴하지 않는 이상 언젠가 또 만나겠지~!

24/3/11
스탬포드 브릿지, 런던
23/24 프리미어리그 28R
첼시 3-2 뉴캐슬

전일 창단 119주년을 맞이한 첼시는 홈에서 기분 좋게 잔치를 벌일 수 있었다. 첼시의 생일 다음 날인 이 날은 구단 그 자체였던 드록신의 생일이기도. 드멘.

24/3/12
올림픽 루이스 콤파니스, 바르셀로나
23/24 UEFA 챔피언스리그 16강 2차전
바르셀로나 3-1 나폴리
통합 4-2

초반부터 이미 바르샤가 기선을 제압했는데 결국 그 흐름대로 승자가 되었다. 나폴리는 이로써 올 시즌 무관이 100% 확정됐는데 단순 무관이 아니라서 정말 암담 그 자체.

24/3/12
에미레이츠 스타디움, 런던
23/24 UEFA 챔피언스리그 16강 2차전
아스날 1-0 포르투
통합 1-1, 승부차기 4-2

그거 아세요? 챔피언스리그 승부차기가 15/16 결승전(마드리드 더비) 이후 처음이라는거? 믿기 힘들 정도로 오랜만인 이유가 아마 원정 다득점 원칙이 폐지된지 얼마 안 돼서 그럴수도...? 아무튼 1차전의 히어로 갈레누가 이번 승부차기에서 실축을 하며 8강 티켓은 거너스에게.

24/3/13
시비타스 메트로폴리타노, 마드리드
23/24 UEFA 챔피언스리그 16강 2차전
아틀레티코 마드리드 2-1 인테르
통합 2-2, 승부차기 3-2

어제 아스날-포르투 경기에서 8년만에 나온 승부차기가 단 하루만에 또... 지금 3월인데 2024년 내내 이어오던 전승 행진이 여기서 깨졌다 인테르는. 그래 깨질 수는 있는데 승부차기에서도 무려 3명이 실축을 하며 올 시즌 기대치가 높았던 이 팀은 여기서 여정을 마무리해야 했다. 강제 리그 집중... 딱히 안해도 스쿠데토를 들 것 같다만.

24/3/13
시그날 이두나 파크, 베스트팔렌
23/24 UEFA 챔피언스리그 16강 2차전
도르트문트 2-0 PSV
통합 3-1

산초와 로이스. 집 나갔던 영건과 리빙
레전드가 팀을 8강으로 올려놓았다.
이건 어느 정도 예상대로.

23/24 UEFA 챔피언스리그 8강 대진

24/3/14
포르투나 아레나, 프라하
23/24 UEFA 유로파리그 16강 2차전
슬라비아 프라하 1-3 밀란
통합 3-7

이 쪽 프라하는 별 7개가 보이도록 후들겨맞고 넉다운.

24/3/14
안필드, 리버풀
23/24 UEFA 유로파리그 16강 2차전
리버풀 6-1 스파르타 프라하
통합 11-2

이쪽 프라하는 11개의 별이 보이도록 후들겨맞고 1차전부터 이미 넉다운. 아무리 그래도 경기 시작 14분만에 4실점하는게 과연 팀인가 싶긴 함 체코에서 가장 축구 잘하는 팀이.

24/3/14
아멕스 스타디움, 브라이튼
23/24 UEFA 유로파리그 16강 2차전
브라이튼 1-0 로마
통합 1-4

언젠가 질거면 차라리 이 때 지는게 나은 DDR볼의 로마는 이 때 승리 한 번 내주고 여유롭게 8강에 진출하였다.

23/24 UEFA 유로파리그 8강 대진

24/3/16

크레이븐 코티지, 런던

23/24 프리미어리그 29R

풀럼 3-0 토트넘

뜬금 처참한 완패를 당한 토트넘. 지난 주 빌라와의 챔스 단두대 매치에서 기껏 완승한게 무색하게 주춤해버리고 말았다.

24/3/16

에티하드 스타디움, 맨체스터

23/24 FA컵 8강

맨시티 2-0 뉴캐슬

올 시즌 뉴캐슬 상대로 이미 리그에서 더블, 그리고 FA컵에서까지 트리플이다. 이번엔 베실바의 멀티골로 공식경기 22연속 무패를 달성하며 4강에 안착.

24/3/17
알리안츠 스타디움, 투린
23/24 세리에A 29R
유벤투스 0-0 제노아

팽팽하던 인테르와의 스쿠데토 경쟁에서 점점 자멸하며 멀어지더니 지난 라운드에서 밀란한테마저 2위 자리를 내준 것도 모자라 이제는 그것마저도 또 벌어지려고 하는 중. 이 페이스라면 챔스권도 위협받을 기세. 상단 스코어보드에 득점자로 이름을 올려야 할 블라호비치는 막판에 주심한테 뭐라고 블라블라 거리다가 삽시간에 경고 누적 퇴장자로 찍혔다.

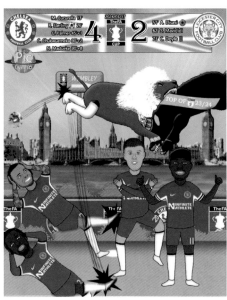

24/3/17
스탬포드 브릿지, 런던
23/24 FA컵 8강
첼시 4-2 레스터 시티

FA컵에서 지난 시즌 프리미어리그 강등된 세 팀 (+사우스햄튼, 리즈)을 다 만나고 간다. 그 중에서도 레스터는 현 챔피언쉽 1위인데 조만간 다음 시즌인 몇 달뒤 프리미어리그에서 다시 보길 기약하며...! 8년전 챔피언들이여. 그리고 최근 두 시즌 리그에서 위상이 떨어지다시피한 첼시는 카라바오컵에서 결승에 오르더니 그래도 여기서도 4강까지는 갔다.

24/3/17
스타디오 벤테고디, 베로나
23/24 세리에A 29R
베로나 1-3 밀란

지난 라운드부터 유베를 제치고 2위가
된 밀란. 그러나 1위 인테르와는 비현
실적인 거리가 있다.

24/3/17
올드 트래포드, 맨체스터
23/24 FA컵 8강
맨유 4-3 리버풀

OT여도 쉽지 않아보였는데 소문난 잔
치에 엄청난 난타전 끝에 결국 4강 웸
블리행 티켓을 맨유가 가져간다. 이번
엔 또 다른 신성 디알로가 주인공이 되
었다. 라스트댄스를 맞이한 클롭의 쿼
드러플 꿈에서 카라바오컵은 성공했고
그보다 훨씬 위상 높은 FA컵은 제거되
었다.

24/3/17
스타디오 올림피코, 로마
23/24 세리에A 29R
로마 1-0 사수올로

로마의 캡틴 펠레그리니의 친정팀이지
만 어쩔 수 없이 그들의 강등에 힘을
보태주었다. 꾸역승을 거두고 있는 본
인들은 이제 챔스가 보인다.

24/3/17
쥐세페 메아짜, 밀라노
23/24 세리에A 29R
인테르 1-1 나폴리

공통적으로 주중에 스페인 라리가 두
팀에게 깨져서 8강에 실패한 자들의
맞대결이자 디펜딩 챔피언이 방패를
넥스트 챔피언에게 인수인계해줘야 할
듯한... 결과는 의외로 무승부였는데
아체르비가 주앙 제수스에게 건넨 인
종차별적 언사는 전후사정을 떠나서
많은 시끌시끌한 논란을 낳았다. 그것
도 '인테르나치오날레'의 현 유니폼을 입은 선수가 그것도 전 인테르 선수에게
...?!

24/3/17
시비타스 메트로폴리타노, 마드리드
23/24 라리가 29R
아틀레티코 마드리드 0-3 바르셀로나

주중에 연장 접전 끝에 인테르를 힘들게 물리친 아틀레티코는 거기서 이미 원기옥을 터뜨린건지 힘을 제대로 쓰질 못했다. 그런 아틀레티코를 의외로 쉽게 물리친 2위 바르샤인데 1위 레알하고는 거리가 여전히 꽤 있다.

24/3/21
상암 월드컵 경기장, 서울
2026 북중미 월드컵 2차 예선 3R
대한민국 1-1 태국

클린하지 못했던 클린스만 내보내고 황선홍 임시 감독 선임, 이강인 사태의 주인공 이강인 사죄, 그리고 캡틴 손의 득점포까지 있었지만 결과가 기분 좋게 마무리되진 못했다. 지난 아시안컵을 통해 동남아 팀들이 많이 향상이 됐다 싶은 생각이 들게 만든 대표적인 팀이라 하더라도...?!

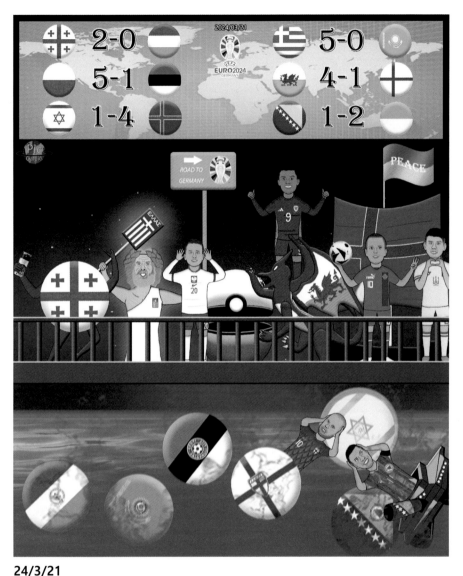

24/3/21

유로 2024 1차 플레이오프

조지아 2-0 룩셈부르크/ 그리스 5-0 카자흐스탄

폴란드 5-1 에스토니아/ 웨일즈 4-1 핀란드

이스라엘 1-4 아이슬란드/ 보스니아 1-2 우크라이나

아직 제코가 노익장을 과시하는 보스니아 vs 우크라이나 정도만 예측불가

였고 나머지는 모두 통과할만한 팀들이 완승을 거두면서 통과했다.

24/3/21
에스타디우 돔 아폰소 헨리퀘스, 기마랑스
친선 경기
포르투갈 5-2 스웨덴

이 맘때 발표하는 새 킷들은 올 여름에 열릴 유로나 코파 아메리카에 입고 출격할 거라 보면 된다. 예전같으면 호날두 vs 즐라탄이었을 이 맞대결. 호날두는 아직 있지만 없다(휴가). 근데 없이도 이 정도.

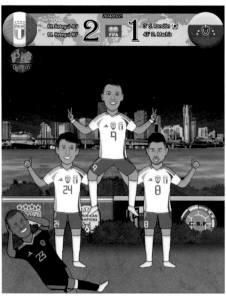

24/3/21
체이스 스타디움, 플로리다
친선 경기
이탈리아 2-1 베네수엘라

점점 이탈리아의 간판이 되어가는 듯한 레테기. 이번 이탈리아 어웨이 킷은 국기 따라간 모양인데 개인적으로 취향 저격... 베네수엘라는 PL팬들이라면 다 알만한 베테랑 살로몬 론돈이 초반에 PK 실축으로 존재감을 드러내며 승부에 영향을 미쳤다.

24/3/22
요한 크루이프 아레나, 암스테르담
친선 경기
네덜란드 4-0 스코틀랜드

오렌지 군단은 나름 유로 본선에 출전하는 스코틀랜드를 상대로 4인 4골을 터뜨리며 완승.

24/3/22
런던 스타디움, 런던
친선 경기
스페인 0-1 콜롬비아

둘다 어웨이부터 선보이는지라 이질감이 느껴지긴 한다. A매치 8연승을 거두던 스페인 무적함대 vs 약 2년에 걸쳐 20연속 무패를 거두고 있던 콜롬비아였는데 뚜껑을 까봐도 콜롬비아가 더 천하무적이다. 이번 코파 아메리카와 다음 월드컵 진출 기대.

24/3/22
링컨 파이낸셜 필드, 필라델피아
친선 경기
아르헨티나 3-0 엘 살바도르

미국에 있는 메시이긴 하지만 부상으로 이번 A매치에 출전하지 못할 것이다. 아마 모르고 미국까지 보러 간 팬들도 있을 법한데... 친선이긴 해도 아직 은퇴하지 않은 메시, 호날두가 둘 다 없는 A 매치라니! 모두 프리미어 리거들이 해결해주며 메시 없어도 완승.

24/3/23
웸블리 스타디움, 런던
친선 경기
잉글랜드 0-1 브라질

웸블리에서 경기를 하는데 2006년생한테 실점하면서 지는 잉글랜드 대표팀. 바꿔말하면 웸블리에 신성이 나타났다. 잉글랜드는 들러리일뿐이고 브라질 쪽에 나타난 2006년생 17살 엔드릭.

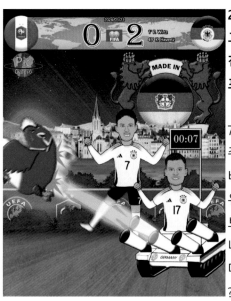

24/3/23
그루파마 스타디움, 리옹
친선 경기
프랑스 0-2 독일

7초만에 터진 기록적인 벼락 선제골. 주인공은 요즘 전유럽에서 핫한 팀 레버쿠젠의 비르츠. 그리고 레버쿠젠의 유스 출신인 하베르츠까지. 암흑기를 보내고 있던 전차군단이 전성기를 보내고 있던 레블뢰 상대로 완승을 거뒀다. 유로 개최 앞두고 전세가 뒤바뀌나?

24/3/24
레드불 아레나, 뉴저지
친선 경기
에콰도르 0-2 이탈리아

22년전 한일월드컵에서 비에리의 멀티골로 승리를 거둔 똑같은 스코어 재현. 지금은 전반적으로 유니폼을 바꿀 시기가 맞지만 틈만 나면 유니폼 새로 생성하기에 바쁜 이탈리아는 새로운 저지를 뉴저지에서 첫 선보임.

24/3/26
라자망갈라 내셔널 스타디움, 방콕
2026 북중미 월드컵 2차 예선 4R
태국 0-3 대한민국

홈에서 실족했지만 원정에서 만회를 했다. 이번에도 득점포를 터뜨린 손흥민은 지금 임시이긴 하지만 본인을 이끌고 있는 황선홍 감독이 선수 시절 이룬 50골에 점차 다가가고 있다. 그 다음은... 아니다 일단 황 감독부터 넘고 얘기하자.

선 글, 후 그림 →

24/3/26
유로 2024 2차 플레이오프

조지아 (pk 4-2) 0-0 그리스
조지아는 20년전 챔피언 그리스를 물리치고 역사상 최초로 유로 본선에 나간다. 크바라츠켈리아의 활약상을 기대해본다.

우크라이나 2-1 아이슬란드
우크라이나는 무드리크의 결승골로 본선에 진출하며 전쟁의 아픔을 겪는 국민들에게 그나마 희망을... 그들에게 패한 아이슬란드도 2016, 2018 메이저 대회 낭만의 팀인데 아쉽게 되었다.

웨일즈 0-0 (pk 4-5) 폴란드

이번 유로가 마지막 무대가 되지 않을까 싶은 레반 도프스키의 폴란드가
시간 상으로 가장 마지막 본 선 티켓을 얻었다. 웨일즈는 은퇴한 베일 없이
도 메이저 대회에 나갈 수 있나 싶었지만 아쉽게 되었다.

24/3/26
웸블리 스타디움, 런던
친선 경기
잉글랜드 2-2 벨기에

웸블리에서만 2연전을 치르는 잉글랜드는 결국 무승으로 마무리. 저번에는 아무리 브라질이어도 06년생한테 결승골 얻어맞더니 이번에는 자신들의 리그에서 뛰는 틸레만스(아스톤 빌라, 그전까지 레스터)에게 멀티골을 얻어맞는다. 결국 몇 안되는 해외파 벨링엄이 패배만은 만회하게 해주었다. 유로가 3개월도 안 남은 현재 잉글랜드는 유니폼만 멋있다.

24/3/26
도이쉐 뱅크 파크, 프랑크푸르트
친선 경기
독일 2-1 네덜란드

한국한테까지 지고 조별리그 꼴찌하던 2018 월드컵부터 2022 월드컵 그리고 작년까지 동네북이던 전차군단이 이제 슬슬 나겔스만에 의해 살아나나? 사실 은퇴를 번복하며 돌아온 크로스의 영향도 매우 커보인다. 유로 개최 앞두고 명예 회복 준비?

24/3/26
스타디온 스토지체, 류블라나
친선 경기
슬로베니아 2-0 포르투갈

호날두가 저번 홈경기때까지는 휴가로 결장하고 이번 원정경기부터 합류했는데 의외의 완패를 당했다. 그래도 슬로베니아 자신들이 왜 이번 유로 본선에 올라온 팀인지 증명. 39세가 된 골무원 호날두는 득점에는 실패했어도 A매치 206번째 출전 그리고 22년째 연속 개근 도장을 찍었다. 출전하는 것 자체가 매번 역사.

24/3/26
스타드 벨로드롬, 마르세유
친선 경기
프랑스 3-2 칠레

개인적으로 프랑스 이번 홈킷은 예술의 나라답게 예쁜데 어웨이는 줄무늬가 무슨 잠옷 같아서 별로... 어쨌든 최다득점자 지루는 계속 득점을 이어나갔고 알렉시스 산체스가 공격포인트를 올린 건 아니지만 지난 시즌에 뛰었던 마르세유와 인사.

24/3/26
산티아고 베르나베우, 마드리드
친선 경기
스페인 3-3 브라질

이번 3월 A매치 기간 중에 소문난대로 가장 먹을 거리가 많았던 친선 경기 아닌가 싶다. 이 경기장의 주인 레알 마드리드는 양쪽에 여러 자신들의 선수가 있지만 엔드릭을 가장 눈여겨보지 않았을까... 올 해 이미 계약을 확정지은 유망주가 A매치에서 저렇게 연달아 터뜨리는거 보면 레알은 자신들의 국적이고 뭐고 즐거운 쪽에 가깝지 않을까 싶다.

24/3/26
유나이티드 에어라인즈 필드 앳 더 로스 앤젤레스 메모리얼 스타디움, LA
친선 경기
아르헨티나 3-1 코스타리카

파란색을 좋아하는 개인적인 취향 저격을 제대로 당했다 아르헨티나 어웨이 킷. 메시 없어도 이번 북중미 팀들과의 2연전은 모두 무난히 승리했는데 메시가 언제까지 있을지 모르니 없이 이기는 방법을 터득해놔야 할 것.

24/3/30
스타디오 디에고 아르만도 마라도나, 나폴리
23/24 세리에A 30R
나폴리 0-3 아탈란타

나폴리... 지금같은 상황으로는 컨퍼런스 리그 조차도 힘들어보이는 지경이다. 반면 아탈란타는 챔스까지는 조금 어려워도 적어도 지금 출전 중인 유로파까지는 그대로 나갈 확률이 높아보인다.

24/3/30
스탬포드 브릿지, 런던
23/24 프리미어리그 30R
첼시 2-2 번리

무려 10명의 심각한 부상 병동을 안고 있는 콜 파머 FC 첼시라고는 하지만 그래도 홈에서 반 절 넘게 10명이 뛰는 강등권 팀을 상대로 승리하지 못하는 것은 어떻게 해도 변명과 설명이 안 됨.

24/3/30
토트넘 핫스퍼 스타디움, 런던
23/24 프리미어리그 30R
토트넘 2-1 루턴 타운

A매치 태국과의 2연전에서 모두 득점했던 손흥민은 런던에 돌아와서도 개인 3연속 득점 행진을 이어나간다. 루턴의 총한테 선제 실점하며 실족할 뻔한 토트넘이지만 캡틴 손이 살렸다.

24/3/30
스타디오 올림피코, 로마
23/24 세리에A 30R
라치오 1-0 유벤투스

유벤투스의 세리에B 시절까지 함께 했던 이고르 투도르가 라치오의 새 사령탑으로 부임하여 친정팀을 상대로 데뷔전을 가지며 극장승을 챙겨갔다. 역시 아낌없이 퍼주는 알레그리의 자비.

24/3/30
알리안츠 아레나, 뮌헨
23/24 분데스리가 27R
바이에른 뮌헨 0-2 도르트문트

뮌헨 원정에서 미키타리얀, 로이스, 호프만의 득점으로 도르트문트의 3-0 승리! 이 곳에서의 승리가 13/14 시즌 이후 10년 만에 이루어졌다. 올 시즌의 경우는 뮌헨의 12년만의 우승 실패에 거의 쐐기를 박는 결과였으며 레버쿠젠의 우승을 미리 축하하고 있다. 누가? 바이언 팬들도 아닌 '감독' 투헬이.

24/3/30
아르테미오 프란키, 피렌체
23/24 세리에A 30R
피오렌티나 1-2 밀란

만만찮은 피렌체 원정에서 승리를 거둔 밀란은 한창 선두인 라이벌 인테르와의 격차가 조금이라도 줄어들어보길 기대해보고 있다.

24/3/30
브렌트포드 커뮤니티 스타디움, 브렌트포드
23/24 프리미어리그 30R
브렌트포드 1-1 맨유

얻어맞은 슈팅이 무려 30개가 넘는걸 고려하면 맨유는 좌절할게 아니라 다행으로 여겨야할 듯. 마운트의 데뷔골이 마침내 여기서 터지긴 했지만 꿀벌들의 거센 파상공세를 끝끝내 막아내지는 못했다.

24/3/31
안필드, 리버풀
23/24 프리미어리그 30R
리버풀 2-1 브라이튼

클롭이 마침내 데 제르비 상대로 승리하며 갈매기들의 저항을 뿌리치고 선두 유지하는 리버풀.

24/3/31
에티하드 스타디움, 맨체스터
23/24 프리미어리그 30R
맨시티 0-0 아스날

먹을 건 없었다. 거너스는 시티 원정에서 무실점으로 버텨내며 승리는 리버풀이 가져갔다.

24/4/1
비아 델 마레, 레체
23/24 세리에A 30R
레체 0-0 로마

로마 입장에서 비록 아쉬운 무승부이긴 한데 세리에A 10번째 경기를 치르고 있는 데 로시 호는 그 중에 7승 2무 1패로 현재까지는 아주 합격점.

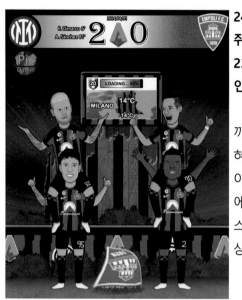

24/4/1
쥐세페 메아짜, 밀라노
23/24 세리에A 30R
인테르 2-0 엠폴리

까딱했다가 2위 팀이랑 점수 차이가 좁혀질라... 하기에는 너무나 큰 차이다 이제 4월로 접어들고 8경기 남은 상태에서 14점 차이는. 올 시즌 인테르가 스쿠데토를 들지 못하는게 말이 안되는 상황으로 가고 있다.

24/4/2
알리안츠 스타디움, 투린
23/24 코파 이탈리아 4강 1차전
유벤투스 2-0 라치오

3일만에 장소만 바꿔서 또 붙는다. 데뷔전에서 승리를 가져갔던 라치오 신임 감독 투도르 입장에서는 친정팀 원정 경기를 방문하게 되었는데 이번엔 웃을 수 없었다. 몇 골 차이냐도 중요한데 두 골차라 유베의 결승행 가능성이 유력.

24/4/2
런던 스타디움, 런던
23/24 프리미어리그 31R
웨스트햄 1-1 토트넘

토트넘은 누구랑 사이좋게 비기고 있을 때는 아니긴 한데 런던 형제와 그렇게 됐다. 손흥민에게는 조금 빛이 바랜 토트넘에서의 400번째 출전.

24/4/3
에미레이츠 스타디움, 런던
23/24 프리미어리그 31R
아스날 2-0 루턴 타운

강등권 싸움을 하고 있는 승격팀 루턴을 가볍게 누르고 여전히 우승 경쟁을 이어가고 있는 아스날.

24/4/3
아르테미오 프란키, 피렌체
23/24 코파 이탈리아 4강 1차전
피오렌티나 1-0 아탈란타

세 시즌 연속 4강에 오르고 있는 피오렌티나인데 지난 시즌에 이어 연속 결승에 갈 수 있는 유리한 고지를 점하게 되었다.

24/4/3
에티하드 스타디움, 맨체스터
23/24 프리미어리그 31R
맨시티 4-1 아스톤 빌라

토트넘이 못 이긴 덕에 여전히 챔스권을 쥐고 있는 빌라지만 에메리 감독이 친정팀 아스날에게 도움을 주지는 못했다. 해트트릭으로 미쳐날뛰는 포든을 막을 수는 없었다. 공식 경기 24연속 무패 행진을 이어가는 시티.

24/4/4
안필드, 리버풀
23/24 프리미어리그 31R
리버풀 3-1 셰필드 유나이티드

강등권의 셰필드를 상대로 까닥하면 실족할 뻔했지만 승리를 따내며 여전히 우승 경쟁을 이어가는 리버풀. 현재 리그 선두.

24/4/4
스탬포드 브릿지, 런던
23/24 프리미어리그 31R
첼시 4-3 맨유

이제는 빅매치라고 하기에도 애매하지만 먹을 것은 아주 많은 소문난 주중 잔치였다. 추가 시간 그것도 +10분 내외로 멀티골을 넣으며 해트트릭을 완성한 콜 파머는 그야말로 첼시에게 대박 승리를 안겼다. 맨유에겐 재앙 그 자체.

24/4/6
셀허스트 파크, 런던
23/24 프리미어리그 32R
크리스탈 팰리스 2-4 맨시티

리빙 레전드 KDB 시티에서 100호골 달성. 홀란드도 한 골 보태며 시티는 공식경기 25연속 무패를 달리면서 여전히 우승 레이스를 달린다.

24/4/6
산 시로, 밀라노
23/24 세리에A 31R
밀란 3-0 레체

밀란은 예쁜 써드킷을 입고 홈에서 결과도 예쁘고 편안하게 가져갔다. 이번 라운드 마지막 경기로 예정되어있는 인테르가 만약 패배한다고 해도 줄어드는 게 -11점 차...

24/4/6
스타디오 올림피코, 로마
23/24 세리에A 31R
로마 1-0 라치오

라치오와의 경기가 어떤 의미인지 그 누구보다도 잘 아는 현 로마 감독 데 로시는 역시 이 경기도 놓치지 않았다. 이번 데르비 델라 카피탈레를 맞이하여 스페셜 킷을 입고 나온 로마로써는 결과도 스페셜하게 가져갔다. 라치오에게는 그냥 이기는 것 자체가 스페셜한 것... 정작 전임자인 스페셜원은 라치오에게 빌빌대는 모습이 좀 있었다. 반대 편에 있는 투도르 감독은 유베-유베-로마 라는 아주 빡센 초반 일정에서 1승 2패. 그나저나 이번에는 퇴장은 안 나왔어도 역시나 신경전은 있었다. 그 중에서도 인상적인게 프랑스 대표의 귀 엠두지에게 자신의 월드컵 위너샷이 담긴 신가드?를 들이댄 디발라.
근데 월드컵때 본인의 지분이... 아니다.

24/4/6
아멕스 스타디움, 브라이튼
23/24 프리미어리그 32R
브라이튼 0-3 아스날

시티보다 1점 높지만 그들이 한 경기 덜했다. 지난 시즌의 경우 아스날은 홈에서 브라이튼한테 0-3으로 패하면서 완전히 고꾸라졌는데 이번엔 반대로 갚아주며 또 우승 희망을 이어가본다.

24/4/7
스타디오 코무날레 브리안테오, 몬차
23/24 세리에A 31R
몬차 2-4 나폴리

전반 보고 오늘도 역시 삽질의 연속이
다 싶었는데 그래도 후반에 4인 4색 득
점이 터지며 오늘은 일단 비난 면제된
디펜딩 챔피언.

24/4/7
올드 트래포드, 맨체스터
23/24 프리미어리그 32R
맨유 2-2 리버풀

시티, 아스날과 3파전으로 우승경쟁을
이어가고 있는 리버풀인데 OT에서 펼
쳐진 노스트웨스트 더비를 무사히 통과
하지 못했다. 리버풀이 우승 경쟁을 순
조롭게 이어가도록 맨유가 가만 놔두지
않았는데 아 그러면 시티가 유리해지는
데...?

24/4/7
브래몰 레인, 셰필드
23/24 프리미어리그 32R
셰필드 유나이티드 2-2 첼시

하다하다 이젠... 지난 라운드에서는 수적 열세의 강등권 팀 번리랑 비기더니 이젠 가장 밑바닥에 있는 셰필드한테도 같은 스코어로 발목 잡히는 첼시.

24/4/7
토트넘 핫스퍼 스타디움, 런던
23/24 프리미어리그 32R
토트넘 3-1 노팅엄 포레스트

노팅엄의 '우드'의 선제골이 있었지만 손흥민의 도움으로 '미키' 반 데 벤의 득점에 힘입어 토트넘의 완승으로 마무리.

169

24/4/7
알리안츠 스타디움, 토리노
23/24 세리에A 31R
유벤투스 1-0 피오렌티나

'고양이들'만 그려넣다가 이제 진짜 가티의 얼굴을 생성해줄 때가 왔다 결승골이면 뭐 빼박. 보라돌이를 무너뜨린 고양이들.

24/4/8
다치아 아레나, 우디네
23/24 세리에A 31R
우디네세 1-2 인테르

올해 인테르의 첫 경기인 베로나전처럼 또 프라테시가 2-1을 만드는 극장 결승골을 만들며 인테르는 이제 20번째 스쿠데토에 거의 근접했다.

24/4/9
에미레이츠 스타디움, 런던
23/24 UEFA 챔피언스리그 8강 1차전
아스날 2-2 바이에른 뮌헨

아스날이 적어도 1-5로 더블 당할때만
큼 바이언과의 격차가 크진 않다고 생
각은 했다. 아스날 출신 그나브리, 북
런던 라이벌팀 토트넘에서 아스날에게
골도 많이 넣어본 케인, 그리고 다른 런
던팀 첼시를 이끌었던 투헬 등 전혀 낯
설지 않은 인물들.

24/4/9
산티아고 베르나베우, 마드리드
23/24 UEFA 챔피언스리그 8강 1차전
레알 마드리드 3-3 맨시티

지난 시즌 시티가 4강 1차전 이 곳에
서 1-1 무승부를 거둔 이후부터 해서
챔스 본선 10연승을 달리고 있었는데
그 기록이 끝난 것도 베르나베우였다.
어쨌든 중요한 건 단판 승부 결과가
아니라 상대를 통합 스코어로 누르고
다음 단계로 올라가면 되는거니까. 아
주 먹을게 많은 소문난 잔치.

24/4/10
완다 메트로폴리타노, 마드리드
23/24 UEFA 챔피언스리그 8강 1차전
아틀레티코 마드리드 2-1 도르트문트

데 파울, 사무엘 리누의 이른 득점으로 완승으로 가나했던 알레띠지만 늦은 시간 어쩌다 내준 알레의 한 방으로 갑분싸 승리로 마무리.

24/4/10
파르크 데 프랭스, 파리
23/24 UEFA 챔피언스리그 8강 1차전
PSG 2-3 바르셀로나

잊을만하면 만나는 이 파바 커플인데 이번에는 루초와 사비 사제 지간 대결이었기에 좀더 흥미로웠다. 바르샤에서도 배신자가 된 뎀벨레의 득점이 있었지만 하피냐의 멀티골 그리고 첼시의 배신자 크리스텐센의 결승골로 바르샤가 1차전 원정 승리를 가져갔다.

24/4/11
산 시로, 밀라노
23/24 UEFA 유로파리그 8강 1차전
밀란 0-1 로마

요즘 '만치니'하면 로베르토인가 잔루카인가 그래도 아직은 로베르토인가...? 라치오와의 데르비에 이어서 유로파에서의 이탈리아 내전까지도 중요한 결승골의 주인공이 되었다. 로마는 리그 밀란 산 시로 원정에서 패하면서 무리뉴가 경질되며 데 로시로 교체된건데 그가 로마의 많은 것을 긍정적으로 바꿔놓고 있다.

24/4/11
안필드, 리버풀
23/24 UEFA 유로파리그 8강 1차전
리버풀 0-3 아탈란타

이제 유럽대항전의 단골 손님으로 자리 잡아가고 있는 아탈란타지만 아무리 그래도 안필드에서 이런 결과가 나올 줄은...? 무려 세 골차라서 이 정도면 거의 그대로 4강 진출 성공 및 실패 확률이 높지만 그래도 혹시 아모른직다인 이유는 3년전 아탈란타 0-5 리버풀 때문.

24/4/11
바이 아레나, 레버쿠젠
23/24 UEFA 유로파리그 8강 1차전
레버쿠젠 2-0 웨스트햄

지금 사상 첫 분데스리가 우승에도 근접한 레버쿠젠에게는 기나긴 공식경기 무패를 이어가는데에 만족할게 아니라 당연히 승리했어야 맞는건데 막판에 역시 합당한 결과를 뽑아냈다.

24/4/11
에스타디우 다 루즈, 포르투갈
23/24 UEFA 유로파리그 8강 1차전
벤피카 2-1 마르세유

다룰까 말까 고민하다가 그냥 하기로. 벤피카가 하파 실바와 디 마리아의 득점으로 잘 앞서다가 오바메양에게 한 방 얻어맞으며 갑분싸 승리로 마무리. 챔스 아틀레티코-도르트문트와 같은 양상인데 과연 최종 결과는....?!

24/4/13
세인트 제임스 파크, 뉴캐슬
23/24 프리미어리그 33R
뉴캐슬 4-0 토트넘

토트넘이 1년 전 이맘 때 당한 뉴캐슬 원정 1-6에 이어서... 또 환불원정대 가나요? 부상 및 징계 병동으로 11명 꾸린 저 명단이 토트넘이 아니고 뉴캐슬 것이다.

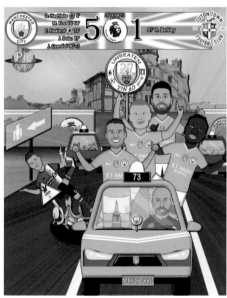

24/4/13
에티하드 스타디움, 맨체스터
23/24 프리미어리그 33R
맨시티 5-1 루턴 타운

우승 경쟁 3파전 레이스에서 이번 라운드 시간 상으로 가장 출발한 시티. 강등 위기에 처한 루턴 타운 상대로 역시 미끄러질리 없다.

24/4/13
스타디오 올림피코 그란데 토리노, 토리노
23/24 세리에A 32R
토리노 0-0 유벤투스

유베가 아무리 폼이 안 좋거나 전력이 약화된다 하더라도 토리노는 저들에게 단판으로 한 번 이기는 것 조차 너무 어렵다. 더비라고 하기 민망한 수준.

24/4/13
바이탈리티 스타디움, 본머스
23/24 프리미어리그 33R
본머스 2-2 맨유

본머스의 주요 무기 솔란케와 클루이베르트에게 당한 맨유는 이러면 유로파리그 조차도 불투명해진다.

24/4/14
스타디오 디에고 아르만도 마라도나, 나폴리
23/24 세리에A 32R
나폴리 2-2 프로시노네

프로시노네한테 코파에서는 홈에서 0
-4로 참패하더니 리그에서는 무승부.
메렛의 약주고 병주는 활약상이 있었
고 멀티골을 넣은 모로코 대표의 체디
라는 심지어 나폴리 소속의 임대생이
다...

24/4/14
안필드, 리버풀
23/24 프리미어리그 33R
리버풀 0-1 크리스탈 팰리스

안필드 2연패라... 리버풀은 거 안그래
도 주중에 유로파에서도 거의 아웃될
위기에 처해있는데 살얼음판같은 프리
미어리그 우승 3파전에서도 큰 타격을
입게 되었다. 10년 전 우승 경쟁할때도
팰리스에게 타격을 입지 않았던가.

24/4/14

마페이 스타디움, 치타 델 트리콜로레

23/24 세리에A 32R

사수올로 3-3 밀란

양쪽 타격이다. 강등 위기에 빠진 사수 올로도 이기지 못해 아쉬운 결과인데 밀란은 우승 경쟁...이라고 하기엔 인테 르 독주 체제가 워낙 강렬해서 무리가 있지만 이러다간 데르비 맞대결에서 그 들의 우승 확정을 눈 앞에서 라이브로 지켜볼 수도 있는 시나리오가 펼쳐진다. 인테르 출신 피나몬티도 득점원에 이름 을 올렸는데 인테르를 떠나 이 곳으로 완전이적하자마자 강등 위기라니.

24/4/14

에미레이츠 스타디움, 런던

23/24 프리미어리그 33R

아스날 0-2 아스톤 빌라

드디어... 한꺼번에 그려낸 빌라의 주포 들 베일리와 왓킨스 듀오. 아스날을 친 정팀으로 두고 있는 에메리의 이 아이 들은 우승 경쟁 중인 아스날에게 치명 상을 입혔다. 리버풀에 이어 아스날마 저도 홈 패배를 당하면서 또시티 우승 분위기가 자연스럽게 조성.

24/4/14
바이 아레나, 레버쿠젠
23/24 분데스리가 29R
레버쿠젠 5-0 베르더 브레멘

[오피셜]레분우확
레버쿠젠 23/24 분데스리가 우승 확정

어어...? 설마...? 했던게 진짜로 이루어 졌다. 그것도 창단 첫 우승을? 게다가 공식경기 전체 43연속 무패를 달리면 서 현 팀 에이스라고 할 수 있는 신성 비르츠의 해트트릭으로 완전히 축포를 쏘아 올렸다. 이 모든 것은 다 킹갓제 너럴사비 알론소에 의하여...!

24/4/14
쥐세페 메아짜, 밀라노
23/24 세리에A 32R
인테르 2-2 칼리아리

이제 정말 통산 20번째이자 두번째 별 에 근접한 인테르는 잔류경쟁을 펼치 는 칼리아리와 좀 뜬금 없게 무승부. 이겼어도 오늘 우승이 확정되는건 아 니었지만 이 결과로 판은 제대로 깔렸 다. 14점 차이가 나고 있는 밀란과의 다음 라운드 데르비 델라 마돈니나에 서 승리할 시 우승 확정!

24/4/15
스탬포드 브릿지, 런던
23/24 프리미어리그 33R
첼시 6-0 에버튼

포트트릭을 폭발시킨 콜파머FC의 파머
는 맨유전에 이어서 두 경기 연속 홈 해
트트릭+이라는 홀란드나 할 법한 대기
록을 달성했다.

24/4/16
Est 올림픽 루이스 콤파니스, 바르셀로나
23/24 UEFA 챔피언스리그 8강 2차전
바르셀로나 1-4 PSG
통합 4-6

아직도 바르샤의 새 홈구장 이름이 좀
처럼 암기가 안 된다... 어쨌든 캄프 누
는 아니지만 바르샤의 홈에서 바르샤를
이끌고 파리를 상대로 6-1 대역전극의
추억을 가지고 있는 엔리케 감독이 이
번엔 반대편에 서서 그걸 해냈다. 게다
가 그 역전극이 뎀벨레의 득점을 시작
으로 일어난거라 꾸레 입장에서는 정말
쓰리디 쓰릴 것.

24/4/16
시그날 이두나 파크, 베스트팔렌
23/24 UEFA 챔피언스리그 8강 2차전
도르트문트 4-2 아틀레티코 마드리드
통합 5-4

1차전 알레의 그 득점이 역전극의 시작이 된 셈이다. 동시간대에 치뤄진 파-바전도 그렇고 다득점이 펼쳐지며 이렇게 같은 날 스페인 두 팀이 8강에서 나가리!

24/4/17
알리안츠 아레나, 뮌헨
23/24 UEFA 챔피언스리그 8강 2차전
바이에른 뮌헨 1-0 아스날
통합 3-2

1-5로 2연벙 당하던 시절보다는 둘 간의 격차가 줄어들었다고 봤는데 결국 승자는 뮌헨. 근소한 차이이긴 했는데 분데스리가에서 우승을 리얼로 빼앗기게 생긴 바이언이 프리미어리그 우승 가능성을 안고 있는 아스날을 보내버렸다 가서 리그 집중이나 하라고...

24/4/17
에티하드 스타디움, 맨체스터
23/24 UEFA 챔피언스리그 8강 2차전
맨시티 1-1 레알 마드리드
통합 4-4, 승부차기 3-4

[오피셜]맨시티 연속 트레블 실패
어제는 라리가, 오늘은 프리미어리그 팀들이 동반 나가리되었다. 특히나 시티는 이번엔 레알에게 지난 시즌의 복수를 당했는데 21/22 시즌부터 이 두 팀이 토너먼트에서 만났을 때 승자가 각각 우승을 차지했는데 그럼 이번엔 또 레알 차례인가...?!

24/4/18
스타디오 올림피코, 로마
23/24 UEFA 유로파리그 8강 2차전
로마 2-1 밀란
통합 3-1

올 시즌 리그에서 밀란에게 더블을 당하고 아웃된 무리뉴였는데 데 로시가 오니까 이번엔 반대로 더블이다. 정식 감독으로 올라서자마자 4강 티켓을 1차전 승리를 바탕으로 무사히 따냈다. 그리고 라치오와의 데르비 포함해서 이번 밀란과의 두 경기서 모두 득점을 올린 폼 제대로 미친 '수트라이커' 만치니... 요즘만큼은 만치니하면 로베르토보단 잔루카다.

24/4/18
게비스 스타디움, 베르가모
23/24 UEFA 유로파리그 8강 2차전
아탈란타 0-1 리버풀
통합 3-1

[오피셜]클롭 유로파는 끝끝내 실패
안필드에서 3-0 이라는 놀라운 결과를 냈음에도 자신들의 홈에서 0-5 참패를 당한 전적이 있어서 불안감을 떨칠 수 없던 아탈란타였는데 이번엔 그저 옛다 단일 경기 승리 하나 주면서 연패만 끊게 만들었다. 1차전의 마법같은 승리를 바탕으로 우승후보 리버풀을 무너뜨리며 4강에 진출한 아탈란타. 리버풀은 주말에 리그에서 뜬금 패를 당하며 프리미어리그 우승에도 빨간 불이 켜졌는데 유로파에서는 아예 나가리. 클롭의 첫 시즌이었던 15/16 때도 결승가서 실패했던 유로파였는데 마지막 시즌인 지금도 끝끝내 실패.

24/4/18
런던 스타디움, 런던
23/24 UEFA 유로파리그 8강 2차전
웨스트햄 1-1 레버쿠젠
통합 1-3

그냥 0-1 패로 끝났어도 올라가긴 할건데 올 시즌 절대 지지 않는 네버루즌은 이제 그 기록을 44로 늘렸다. 뭐 하나도 잃지 않은 채 이제 4강으로 간다.

24/4/18
스타드 벨로드롬, 마르세유
23/24 UEFA 유로파리그 8강 2차전
마르세유 1-0 벤피카
통합 2-2, 승부차기 4-2

89년생 베테랑 오바메양의 어시로 연장으로 끌고가서 승부차기. 근데 88년생 베테랑 디 마리아가 실축을 한 것이 벤피카에게 타격이 되며 결국 승자는 마르세유. 1차전에서도 나란히 득점을 올렸던 양쪽의 두 베테랑이지만 2차전에서 희비가 극명히 엇갈렸다.

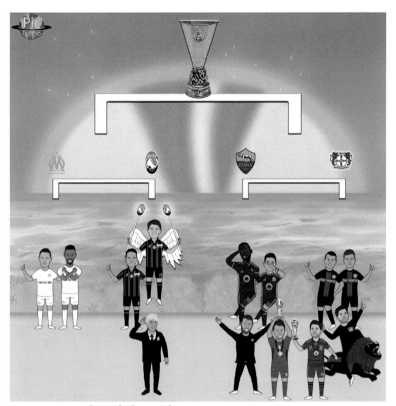

23/24 UEFA 유로파리그 4강

마아로레

24/4/19

사르데냐 아레나, 칼리아리

23/24 세리에A 33R

칼리아리 2-2 유벤투스

칼리아리 선수 3명이 득점하고 유베 선수 1명이 득점했지만 무승부. 이젠 올 시즌 스쿠데토의 주인공도 아예 결정이 났기 때문에 유베는 챔스 존 밑으로만 떨어지지 않도록 적당히 할 듯.

185

24/4/20
카를로 카스텔라니, 엠폴리
23/24 세리에A 33R
엠폴리 1-0 나폴리

Cerri 이탈리아 발음으로 하면 체리의 결승골. 지난 시즌의 33라운드에서 5경기 남기고 스쿠데토를 조기확정 지었던 나폴리였는데 올 시즌 33라운드에서는 엠폴리한테 지고 있다. 상대가 강팀이건 약팀이건 가리지 않고 사정없이 발목 잡히는 중. 어쩌면 컨퍼런스리그도 사치일지도...?

24/4/20
웸블리 스타디움, 런던
23/24 FA컵 4강
맨시티 1-0 첼시

주중 챔스에서 탈락하면서 연속 트레블의 꿈이 사라진 맨시티. 연장까지 가서 패배한 체력적, 정신적 여파까지 더해졌는지 쉽지 않은 경기였으나 그래도 결국 승자는 시티. FA컵에서 지난 시즌 첼시에게 4-0으로 승리한 것을 시작으로 오늘까지 11연승을 거두며 결승으로 가서 2연패에 도전한다. 첼시는... 물론 지난 시즌부터 트로피를 논할 상태가 아니긴 한데 공식적으로 올 시즌도 무관이 확정되었다.

24/4/20
몰리뉴 스타디움, 울버햄튼
23/24 프리미어리그 34R
울버햄튼 0-2 아스날

맨시티가 잠깐 FA컵 가서 노는 동안
아스날이 일단 리그에서 앞서나간다.

24/4/21
웸블리 스타디움, 런던
23/24 FA컵 4강
코벤트리 시티 3-3 맨유
승부차기 2-4

챔피언쉽의 코벤트리와 아주 대단한
명경기를 펼치며 하마터면 결승행마저
놓칠뻔한 맨유. 저 시티가 맨체스터가
아니고 코벤트리라고...? 사실 코벤트
리 메인 컬러가 하늘색인지도 이번에
처음 알았다. 그리고 맨유의 승리로 결
정났을 때 명백하게 드러난 안토니와
매과이어의 인간성. 안토니... 2부 리그
선수들에게 그러고 싶나?

24/4/21
크레이븐 코티지, 런던
23/24 프리미어리그 34R
풀럼 1-3 리버풀

맨시티가 잠깐 FA컵 가서 노는 동안 아스날과 함께 일단 앞으로 치고 나간다. 그나저나 현재 백수인 무리뉴 감독은 여기 양 팀과 연관이 딱히 안 떠오르는데 무엇 때문에 직관을 왔을지...?! 맨유 감독했던 사람이 설마 아니겠지 클롭의 후임이 되는 건...?!

24/4/21
시그날 이두나 파크, 베스트팔렌
23/24 분데스리가 30R
도르트문트 1-1 레버쿠젠

(챗 GPT)
이 이미지는 레버쿠젠의 45경기 무패 기록을 강조하며, 선수들이 자신감 넘치는 모습으로 이를 자랑하고 있다. 도르트문트의 선수들은 실망한 표정으로, 마스코트(벌)까지 지친 모습을 보인다. 레버쿠젠의 상징적인 사자가 승리를 자축하는 모습으로, 팀의 자부심과 도르트문트의 좌절을 극적으로 보여준다.

24/4/21

산티아고 베르나베우, 마드리드

23/24 라리가 32R

레알 마드리드 3-2 바르셀로나

(챗 GPT)

6경기 남은 상태에서 치뤄진 엘 클라시코. 올 시즌 라리가 우승에 더욱 근접한 레알 마드리드는 기쁨에 찬 승리의 모습을, 바르셀로나는 넘어져 있는 차량을 통해 패배를 상징적으로 표현하고 있다. 레알 마드리드 선수들은 승리의 여유와 환호를 드러내며, "Loading... 93%"라는 문구는 타이틀 경쟁에서의 승리를 거의 확정 지었음을 암시한다.

24/4/22

스타디오 올림피코, 로마

23/24 세리에A 33R

로마 1-3 볼로냐

다른 때 같으면 로마가 당연히 이겨야 본전인 경기인데 이번 이 경기는 챔피언스리그를 향한 맞대결이다. 데 로시가 아무리 잘하고 있었어도 모따의 볼로냐가 얼마나 기대 이상으로 잘 다져놓은 팀인지 보여줬다. 정말 꿈과도 같은 '볼챔확'이 얼마 안 남지 않았다.

24/4/22
산 시로, 밀라노
23/24 세리에A 33R
밀란 1-2 인테르

[오피셜] 인세우확
인테르 23/24 세리에A 우승 확정! ★★

라이벌 팀과의 더비에서 이기고 리그 우승을 확정지으면 어떤 기분일까 말이 필요없다. 근데 그 와중에 테오와 둠프리스는 이쯤되면 서로 전생에 부모의 원수 아니었나 의심...

달랑 한 장으로는 모자랐던 데르비와 그 결과의 의미 밀란보다 9년 늦게 태어나고 첫 번째 별(10번째 스쿠데토)을 밀란보다 13년 먼저 달성하고 19:19로 동률이었다가 결국 두번째 별도 인테르가 먼저 달성한다. 그리고 밀란 팬들 입장에서는 차마 두 눈 뜨고 보기 힘들겠지만 하필 또 찰하노글루의 등번호가 20번.

24/4/23
에미레이츠 스타디움, 런던
23/24 프리미어리그 29R (순연경기)
아스날 5-0 첼시

아스날이 프리미어리그 우승 경쟁에서 맨시티와 리버풀과의 격차를 유지했다. 이미지에서는 아스날이 빨간 자동차를 타고 선두를 달리는 모습을 보여준다. 아스날의 주요 경쟁 상대는 첼시가 아니라 맨체스터 시티와 리버풀임을 강조하고 있다. 뒤에 첼시팬으로 보이는 아이가 "니들 셔츠는 필요없고 축구나 잘해"라는 뉘앙스의 메세지가 적힌 문구를 들고 있는 것이 눈에 띈다. 첼시는 0-5로 깨진 것도 서러운데 멀티골을 넣고 킹받는 세레머니를 하고 있는 하베르츠를 보고 한 번 더...

24/4/23
올림피코 스타디움, 로마
코파 이탈리아 4강 2차전
라치오 2-1 유벤투스
통합 2-3

투도르의 라치오는 유베에게 또 다시 홈에서 승리를 거뒀지만 밀리크에게 내준 통한의 실점으로 탈락했다. 유벤투스는 하마터면 역전극을 허용할 뻔한 상황에서 파이널 진출을 확정지었다. 단일 경기로 따지면 또 패배를 추가했지만 이번엔 정당화 가능?

191

24/4/24

구디슨 파크, 리버풀

23/24 프리미어리그 29R (순연경기)

에버튼 2-0 리버풀

에버튼이 14년만에 홈에서 열린 머지 사이드 더비에서 2-0으로 승리했다. 리버풀은 자신들의 우승 경쟁 상대이기도 한 아스날의 현 감독 아르테타가 에버튼 선수 시절이었던 2010년 더비 결승 골(케이힐 추가골)을 얻어맞고 0-2로 패했었는데 그 때 이후 14년만이다 구디슨 파크 한정. 우승 경쟁하는 이 시점에서 이러면 타격이 클 수 밖에.

24/4/24

올드 트래포드, 맨체스터

23/24 프리미어리그 29R (순연 경기)

맨유 4-2 셰필드 유나이티드

맨유의 선수들이 두 개의 거대한 칼을 들고 전투에서 승리한 전사처럼 서 있는 모습이 인상적이다. 프리미어리그에서 버틸 수 있는 생명이 위독한 셰필드 상대로 강등로이드를 당한 것이 그만큼 쉽지 않은 경기를 펼쳤다. 어쨌거나 패배한 셰필드는 사망 일보 직전.

24/4/24

게비스 스타디움, 베르가모

코파 이탈리아 4강 2차전

아탈란타 4-1 피오렌티나

통합 4-2

저쪽(라치오-유베)과는 달리 이쪽에서는 대역전극이 이루어졌다. 피오렌티나 수비수 밀렌코비치의 퇴장 영향이 아무래도 크긴 했는 듯... 지난 시즌 결승에 진출했던 피오렌티나 대신 이번엔 아탈란타가 갔고 상대는 유벤투스.

24/4/25

다치아 아레나, 우디네

세리에 A 32R (도중 중단 경기)

우디네세 1-2 로마

좀처럼 보기 드문 케이스인데 이 경기는 지난 4월 14일 날 열렸다가 로마 에반 은디카의 실신 이슈로 인하여 경기 종료를 그리 많이 안 남기고 중단됐었다. 11일전에 형성된 1-1 스코어, 그런데 고새 우디네세의 감독이 2006 아주리에게 월드컵 우승을 안긴 발롱도르 위너 칸나바로로 바뀌었다. 그리고 오늘 후반 추가 시간에 터진 크리스탄테의 결승골로 승리를 거둔 로마. 또한 그때 은디카와 로마에게 배려를 해준 우디네세 구단/팬들에게 로마는 상당히 고마워해했다.

193

24/4/25
아멕스 스타디움, 브라이튼
23/24 프리미어리그 29R (순연경기)
브라이튼 0-4 맨체스터 시티

(GPT) 맨시티 선수들이 승리의 차를 타고 레이스를 주도하는 모습이 그려져 있으며, 이는 팀이 공식경기 30연속 무패 기록을 유지하며 강력한 우승 후보임을 상징적으로 보여준다. 또한, 상대팀 브라이튼은 갈매기들이 도저히 적수가 될 수 없는 상황을 통해 경기에서의 절대적인 우위와 맨시티의 우승 가능성을 시사하고 있다. 그리고 시작 전부터 리버풀은 이미 나가리 각이었고 결국 아스날과의 양강 대결로 압축될 것으로 보인다.

24/4/27
런던 스타디움, 런던
23/24 프리미어리그 35R
웨스트햄 2-2 리버풀

리버풀이 또 다시 승점 3점 획득에 실패하며, 우승 경쟁 3파전에서 이젠 자신들의 차선이 거의 없어지다시피하는 수준. 시티와 1점차인데 왜 그러지? 할 수도 있는데 시티가 한 경기 덜 했기 때문.

24/4/27
올드 트래포드, 맨체스터
23/24 프리미어리그 35R
맨유 1-1 번리

PL에서의 생명이 거의 꺼져가는 번리한테 득점해놓고 골 세레머니는 거의 챔스 결승전 급... 이상 안토니의 시즌 1호골이었다 35라운드에서. 근데 맨유는 이마저도 안토니의 결승골로 가져가지 못하며 무승부. 바꿔말하면 안토니에게 실점을 하는 번리는 본인들이 왜 강등당할만한 팀인지 증명.

24/4/27
알리안츠 스타디움, 토리노
23/24 세리에 A 34R
유벤투스 0-0 밀란

(GPT) 유베와 밀란의 두 마스코트가 잠들어 있는 모습이 보인다. 이는 두 팀이 치열한 경기를 펼치지 못하고, 단조로운 경기로 끝났다는 것을 상징한다. 두 팀 모두 챔스 존에 있기는 하지만 그에 만족할 위상들이 아니니. 유베는 그래도 코파 이탈리아 결승이 남아있지만 밀란은 지난 주에 라이벌 인테르가 먼저 별 두 개 다는 모습을 직접적으로 목격하고 본인들은 올 시즌도 무관이 확정됐으니 더는 의욕이 남아있지 않을만도...

24/4/27
바이 아레나, 레버쿠젠
23/24 분데스리가 31R
레버쿠젠 2-2 슈투트가르트

레버쿠젠은 결국 이번에도 무패를 기어
코 이어가며 공식경기 무패행진 기록을
46으로 늘렸다. 이번에는 안드리히의
극장골. 슈투트가르트 입장에서는 매우
아쉬울거긴 한데 본인들이 왜 챔스권인
지 보여준 셈.

24/4/27
빌라 파크, 버밍엄
23/24 프리미어리그 35R
아스톤 빌라 2-2 첼시

팽팽한 상황에서 막판 디사시의 극장골
이 취소. 아직 챔스 티켓을 쥐고 있는
팀은 빌라지만 토트넘의 전임 감독 포
체티노가 무승부라도 해준 덕에 혹시
모르는 희망.

24/4/28
쥐세페 메아짜, 밀라노
23/24 세리에 A 34R
인테르 2-0 토리노

V20 별 2개를 지난 주에 라이벌 밀란을 꺾으며 확정짓고 홈(팬들 앞)으로 돌아온 인테르는 토리노 선수단의 가드 오브 아너를 받으며 입장했다. 찰하노글루의 멀티골로 또 1승을 추가했는데 아직 트로피만 들지 않았을 뿐 그냥 파티였다.

24/4/28
토트넘 핫스퍼 스타디움, 런던
23/24 프리미어리그 35R
토트넘 2-3 아스날

북런던 더비에서 아스날이 우승을 노리는 팀답게 전반전만에 토트넘을 거세게 팼지만 끝까지 긴장의 끈을 놓을 수는 없었다. 토트넘은 오늘부터 해서 올 시즌 우승경쟁을 다투는 세 팀을 연달아 맞이하게 될텐데 일단 자신들이 그중에서도 가장 지기 싫을만한 아스날에게 승점 3점 헌납. 아스날은 이 중요한 승리로 우승의 꿈을 일단 이어간다.

24/4/28
시티 그라운드, 노팅엄
23/24 프리미어리그 35R
노팅엄 포레스트 0-2 맨시티

혹시나했지만 역시나... 그바르디올과 홀란드 그리고 덕배의 2도움으로 미끄러지지 않는 시티. 아스날에 1점 뒤져 있긴 하나 중요한 건 시티가 한 경기 더 남아있다.

24/4/28
디에고 아르만도 마라도나 스타디움, 나폴리
23/24 세리에 A 34R
나폴리 2-2 로마

물고 물리는 치열한 경기였지만 승자를 가리지 못했다. 오랜만에 돌아온 로마의 타미 아브라함이 득점을 올렸는데 나폴리 홈이라 해도 올 시즌 나폴리의 상태를 고려하면 승리하지 못한 로마가 오히려 손해인지도.

24/4/30
알리안츠 아레나, 뮌헨
23/24 챔피언스리그 4강 1차전
바이에른 뮌헨 2-2 레알 마드리드

레알의 비니시우스는 두 골을 넣으며 경기에서 두드러졌고, 바이언의 사네와 케인이 각각 한 골씩 넣으며 경기의 균형을 맞췄다.

24/5/1
시그날 이두나 파크, 도르트문트
23/24 챔피언스리그 4강 1차전
도르트문트 1-0 PSG

죽음의 조에서 살아남아 결승 길목에서 만난 두 팀. 도르트문트의 퓔크루그가 경기의 유일한 골을 넣으며 팀을 승리로 이끌었다.

24/5/2
스타드 벨로드롬, 마르세유
23/24 유로파리그 4강 1차전
마르세유 1-1 아탈란타

일단 1차전은 사이 좋게 비겼다. 베르
가모에 가서 결정 날 승부.

24/5/2
스타디오 올림피코, 로마
23/24 유로파리그 4강 1차전
로마 0-2 레버쿠젠

감독으로써 둘다 핫하지만 더 핫한 알
론소의 완승. 레버쿠젠은 이번 승리로
무패 행진을 47경기로 늘렸다. 원정 다
득점이 이제 없기는 하나 홈에서 두 골
차 패배는 로마에게 매우 뼈 아프다.

24/5/2
스탬포드 브릿지, 런던
23/24 프리미어리그 26R (순연 경기)
첼시 2-0 토트넘

포체티노를 데리고 있는 첼시에게 또 다시 패배하며 3연패에 빠진 토트넘은 이제 챔스 진출이 거의 힘들어보인다. 반면 좀처럼 희망을 갖기 힘들던 첼시는 어쩌면 컨퍼런스 정도는 바라볼 수 있는 시점.

24/5/4
에미레이츠 스타디움, 런던
23/24 프리미어리그 36R
아스날 3-0 본머스

마지막 달 5월에도 이어서 펼쳐지는 프리미어리그 우승 경쟁. 시티보다 먼저 경기를 치른 아스날이 이번엔 실족 없이 완승을 거두며 앞서 나간다.

24/5/4
산티아고 베르나베우, 마드리드
23/24 라리가 34R
레알 마드리드 3-0 카디스

레알은 강등 위기에 놓인 카디스를 완
파하고 이제는 거의 다 왔다 올 시즌 라
리가 우승. 이제 잠시 후에 바르샤가
승리를 거두지 못할 경우 레알의 우승
이 확정된다.

24/5/4
에스타디 몬틸리비, 지로나
23/24 라리가 34R
지로나 4-2 바르셀로나

[오피셜]레우확 & 지챔확
올 시즌 라리가 돌풍의 팀 지로나가 바
르샤를 완파하면서 본인들의 챔피언스
리그 진출 그리고 레알의 우승이 동시
에 확정되었다.

24/5/4
에티하드 스타디움, 맨체스터
23/24 프리미어리그 36R
맨시티 5-1 울버햄튼

희발 씨찬이 형이 또 시티를 상대로 득점을 했지만 울브스만 만나면 미쳐 날뛰는 홀란드. 지난 시즌에도 울브스를 상대로 해트트릭을 했었는데 이번엔 포트트릭을 기록했다. 1점 차로 아스날을 따라가고 있는 듯한 형태지만 시티에게는 한 경기가 더 남아있다. 바로 또 다른, 위험한 코리안 가이를 보유한 토트넘.

24/5/4
마페이 스타디움, 치타 델 트리콜로레
23/24 세리에A 35R
사수올로 1-0 인테르

올 시즌 챔피언 인테르가 자신들의 두 번째 별보다 사수올로의 강등이 더 중요하다는 메세지는 실제로 걸어놓은 건 아니고 10여년 가까이 리그에서 괴롭힘을 당하고 있기에 인테르에게 매우 중요한 일전이었다. 사수올로에게 패배를 안겨서 강등에 힘을 실어줘야 본인들이 다음 시즌부터 당분간이라도 장애물을 제거할 수 있을텐데 개탄스럽게도 승점 3점 헌납... 그전까지 유일한 패배를 당했던 상대였기에 총 6점을 제공한 셈이다.

24/5/5
스탬포드 브릿지, 런던
23/24 프리미어리그 36R
첼시 5-0 웨스트햄

파머, 갤러거, 마두에케, 그리고 잭슨의 멀티골로 5득점을 폭발시키며 5월 5일을 완벽하게 맞이한 첼시. 유럽 대항전 어쩌면 갈 수 있을지도...?

24/5/5
안필드, 리버풀
23/24 프리미어리그 36R
리버풀 4-2 토트넘

우승 경쟁에서 이미 많이 벗어난 리버풀이지만 그래도 마지막까지 어찌 될지 모르니... 토트넘을 제물삼아 완승을 거뒀고 반면 토트넘은 4연패로 상황이 심각하다.

24/5/5
코메르츠방크 아레나, 프랑크푸르트
23/24 분데스리가 32R
프랑크푸르트 1-5 레버쿠젠

프랑크푸르트는 유로파권에 위치해있고 그리 만만한 팀도 아닌데 원정에서 아주 찢어놓은 킹버쿠젠. 이제 그들의 48경기 연속 무패 기록은 1965년 세운 벤피카와 타이 기록을 이루었다.

24/5/5
산 시로, 밀라노
23/24 세리에 A 35R
밀란 3-3 제노아

3 무승부 3 패배... 밀란의 최근 6경기 성적이다. 짧은 시간 동안에 무관 확정의 데미지를 입은 밀란이라 정신 차리기는 쉽지 않은 모양.

24/5/5
스타디오 올림피코, 로마
23/24 세리에 A 35R
로마 1-1 유벤투스

루카쿠와 브레메르의 득점으로 사이좋게 비겼는데 일단 챔피언스리그 복귀라도 확정지어야 하는 유베에게는 나쁘지 않은 결과. 반면 유로파리그 우승이 던순위 상으로 챔스권에 들어야 하는 로마는 지금으로써는 둘다 쉽지 않아보인다.

24/5/6
다치아 아레나, 우디네
23/24 세리에 A 35R
우디네세 1-1 나폴리

2023년 5월 4일 약 1년전... 이 곳 우디네에서 같은 1:1 스코어로 스쿠데토를 확정지었던 나폴리인데 지금은 같은 1:1 스코어에 다른 형태(지다가 비김 - 이기다가 비김)로 굴욕이 끊임없이 이어지고 있다. 우디네세는 그 와중에 위험한 상황.

24/5/6
셀허스트 파크, 런던
23/24 프리미어리그 36R
크리스탈 팰리스 4-0 맨유

(GPT) 맨유가 역대 한 시즌 최다 패배와 최다 실점을 기록하며 최악의 시즌을 보내고 있는 장면. 컨퍼런스 리그 조차도 힘들어 보이는 붉은 신호등과 무너지는 트래픽 라이트는 맨유의 절망을 상징한다.

24/5/7
파르크 데 프랭스, 파리
23/24 UEFA 챔피언스리그 4강 2차전
PSG 0-1 도르트문트
통합 0-2

이번에는 훔멜스의 결승골. 2013년 웸블리에서 결승전을 치뤘던 꿀벌 군단이 11년만에 다시 그 곳으로 간다. 특히나 로이스와 훔멜스는 다시 도전. 반면 파또챔실 파리의 또 챔스 실패는 네버 엔딩 스토리. 1,2차전 두 경기 합해서 골대를 여섯 차례 맞췄건 어쨌건 못 넣은건 못 넣은거니까...

24/5/8
산티아고 베르나베우, 마드리드
23/24 UEFA 챔피언스리그 4강 2차전
레알 마드리드 2-1 바이에른 뮌헨
통합 4-3

패색이 짙던 레알에게 동점골과 역전골을 혼자 안겨다 준 호셀루가 주인공이 되어야 하는데 막판에 부심과 주심의 환장의 콜라보레이션은 바이언 선수단과 팬들을 미치고 팔짝 뛰게 만들었다. 경기 끝나고 주심이 데 리흐트에게 다가와서 사과를 했다는... 현 시점 바이언의 유일한 희망이었던 이 챔스에서마저도 뼈아프게 결승 진출에 실패하면서 또 집중된 그 남자 해리 '무관' 케인.

23/24 UEFA 챔피언스리그 결승 대진
도르트문트 - 레알 마드리드

24/5/9
게비스 스타디움, 베르가모
23/24 UEFA 유로파리그 4강
아탈란타 3-0 마르세유
통합 4-1

코파 결승에 갔던 형태와 비슷하게 2차전 홈경기에서 상대를 대파하며 아탈란타가 더블린으로 간다. 이제 두 개의 결승이 기다리고 있는건데 적어도 하나 정도는... 마침내 유관 가나?

24/5/9
바이 아레나, 레버쿠젠
23/24 UEFA 유로파리그 4강
레버쿠젠 2-2 로마
통합 4-2

로마가 어쩌면 레버쿠젠의 Neverkusen 행진을 깨고 역전할 법한 흐름까지 가져갔지만 아쉽게 되었다. 레버쿠젠은 1-2 스코어만 해도 결승에 진출할 수 있었지만 Neverlusen 기록까지 지켜내며 1965 벤피카가 갖고 있던 48 연속 기록을 깨며 역사의 장을 59년 만에 새로 썼다. 결승에는 또 다른 세리에 팀 아탈란타가 기다리고 있다.

23/24 UEFA 유로파리그 결승 대진
아탈란타 - 레버쿠젠

24/5/10
베니토 스티르페, 프로시노네
23/24 세리에 A 36R
프로시노네 0-5 인테르

??: "거 사수올로한테는 찍소리 못하더니 왜 우리한테만 폭격하고 난리?"
인테르 입장에서도 둘 중 하나만 폭격할 수 있다면 직전 경기였던 사수올로 상대로만 그러고 싶었을 것이다. 하지만 인생사라는게 뜻대로 안되니... 잔류 경쟁을 펼치고 있는 프로시노네에게는 애석하게도 인테르가 아주 편안한 마음으로 5인 5색 득점쇼를 펼치는 경기가 되었다.

24/5/11
크레이븐 코티지, 런던
23/24 프리미어리그 37R
풀럼 0-4 맨시티

[오피셜] 리우실확
무패행진 기록을 33으로 늘려가며 절대 미끄러질 기미를 보이지 않는 시티. 이 결과로 인하여 일단 산술적인 리버풀의 우승 실패가 확정되었다. 이제 아스날과 2파전으로.

24/5/11
토트넘 홋스퍼 스타디움, 런던
23/24 프리미어리그 37R
토트넘 2-1 번리

[오피셜] 번강확
토트넘이 마지막 홈경기에서는 승리하면서 아직 챔스에 대한 희망을 품고 있다. 반면 오늘 패배를 당한 번리는 사망했다. 챔피언쉽으로의 강등이 다시 확정.

24/5/11
스타디오 디에고 아르만도 마라도나, 나폴리
23/24 세리에 A 36R
나폴리 0-2 볼로냐

진심으로 애초에 챔스를 노리는 볼로냐의 승리 확률이 더 높아보였는데 역시나 그렇게 되었다. 지난 시즌의 주인공이 어디까지... 조연을 넘어 들러리로 몰락하는 데에는 한계가 없나보다.

24/5/11
시티 그라운드, 노팅엄
23/24 프리미어리그 37R
노팅엄 포레스트 2-3 첼시

노팅엄은 이미 경기 시작전부터 루턴 타운의 패배 결과로 인하여 잔류가 99.9% 확정되었다. 오늘 첼시와 무승부만 거뒀어도 100%였을텐데. 막판 기세가 굉장히 좋은 첼시는 잔류를 넘어서 유럽 대항전 복귀를 여전히 꿈 꾸는 중.

24/5/11
스타디오 산 시로, 밀라노
23/24 세리에 A 36R
밀란 5-1 칼리아리

세리에A에서 경기를 한다면 양 밀란의 홈구장인 산 시로에 방문을 하는 것도 일종의 관례같은 건데 그게 이번이 마지막이 될 라니에리 감독. 아직 잔류 경쟁을 하고 있는 와중에 대패를 당해서 쓰라릴 듯. 이 결과로 인하여 레체의 잔류가 확정되었다.

24/5/12
올드 트래포드, 맨체스터
23/24 프리미어리그 37R
맨유 0-1 아스날

시즌 전체 82번째 실점에 리그 14번째 패배를 당한 맨유. 그저 우승 경쟁팀의 들러리가 되어줘야 하는 입장이 참으로 속상할 듯. 아니면 팬들은 이미 진즉에 해탈...? 이러면 진짜 다음 시즌 유럽대항전 힘들다. 아스날 입장에서는 마지막 큰 고비라고 생각됐을 비오는 OT에서 승리를 가져가며 결국 그것을 외칠 때가 왔다. 구너가 외칩니다 "COYS (토트넘 화이팅)".

24/5/12
알리안츠 스타디움, 토리노
23/24 세리에 A 36R
유벤투스 1-1 살레르니타나

??: "리그 따윈 개나 줘버리고 코파는 준비 됨" 유베 최근 6경기 연속 무승. 5무 1패인데 그 1패는 물론 코파 4강 2차전에서 당한 단일 경기일 뿐이고 결승 진출을 이뤄냈으니 정상참작한다고 쳐도 리그에서 지금 무벤투스 행보는... 아무리 우승 경쟁에서 진즉 나가리되고 챔스 복귀가 확정됐다 하더라도 이미 사망한 살레르니타나랑 홈에서 비기면서 5연무를 캐낸 결과는 많은 말이 나올 수 밖에 없을 듯. 다음 경기가 바로 코파 이탈리아 결승인데 여기서 이기면 또 알레그리 생명 연장 및 종신?

24/5/12
보노비아 루르슈타디온, 보훔
23/24 분데스리가 33R
보훔 0-5 레버쿠젠

네버루즌이 잔류경쟁 중인 보훔을 잔인하게 대파하며 신기록을 넘어서 50경기 무패 행진 기록을 대업적으로 달성하였다.

214

24/5/12
게비스 스타디움, 베르가모
23/24 세리에 A 36R
아탈란타 2-1 로마

[오피셜]볼챔확
챔피언스리그 진출을 다투는 두 팀의 경기에서 승부가 났는데 확정이 난 팀이 제3자인 볼로냐다. 승자인 아탈란타의 여부는 아직... 바꿔 말하면 로마도 아직 실패 확정은 아니지만 오늘 결과로 인해 많이 불리해졌다.

24/5/12
파르크 데 프랑스, 파리
23/24 리그앙 33R
PSG 1-3 툴루즈

7년의 여정 끝에 파리 홈팬들과 작별 인사를 나누는 음바페. 홈 마지막 경기에서까지 득점을 올렸지만 경기는 패배.. 챔피언스리그 4강 두 경기 연달아 패한 거에 이어 또 진건데 리그앙 우승으로 본전은 뽑았지만 엔리케 감독의 거취는 글쎄...?

PSG 23/24 리그앙 우승

통산 12번째 우승이자 거의 당연하다시피한 파리의 리그 우승인데 한국팬 입장에서 여느 때와 다른 것은 이번에는 이강인이 함께 했다는 것.

24/5/13

빌라 파크, 버밍엄

23/24 프리미어리그 37R

아스톤 빌라 3-3 리버풀

이번 라운드 치르기 전부터 이미 우승 경쟁에서 나가리된 리버풀이니 보시다시피 이미 레이스 형태의 이미지가 아니다. 근데 클롭의 리버풀 300승 마저도 실패하게 되었다. 빌라는 역시 챔스 노리는 팀답게 저력을 보여주면서 올여름 코파 아메리카 출전이 유력해보이는 콜롬비안 스트라이커 듀란의 멀티골로 챔스 진출에 대한 희망을 이어간다.

24/5/14

토트넘 핫스퍼 스타디움, 런던

23/24 프리미어리그 34R (순연경기)

토트넘 0-2 맨시티

[오피셜]토챔실확/아챔확

올 시즌 PL의 사실상 간접적인 결승전이었는데 이 와중에 100% 결정난 것은 토트넘의 챔스 진출 실패 및 아스톤 빌라의 챔스 진출 확정. 간절하게 토트넘의 편에 서야만했던 아스날은 꿈이 산산조각나고 말았다. 지길 바랬던건 다수의 토트넘 홈팬들이고 포스테코글루 감독은 본인들 챔스도 걸려있으니 최선을 다해서 이기려고했으나 최선을 다한다고 다 되는건 아니니... 최선을 다해서 상성 상 극악의 토트넘 원정을 깨려고 했던 시티가 더 빛을 발했다. 이제 모든팀에게 똑같이 한 경기씩 남아있는 상황으로 맞춰졌다.

217

24/5/14
산티아고 베르나베우, 마드리드
23/24 라리가 36R
레알 마드리드 5-0 알라베스

통산 36번째 라리가 우승이 이미 확정
났던 레알이 시상식하는 날. 축제의 날
답게 대량득점으로 축포를 올렸다.

레알 마드리드 23/24 라리가 우승

2년만에 다시 리그 왕좌에 올랐고 이제 레알에게는 2년만에 유럽 왕좌에 다시
오를 수 있는 기회가 또 기다리고 있다.

24/5/15
아멕스 스타디움, 브라이튼
23/24 프리미어리그 34R (순연경기)
브라이튼 1-2 첼시

첼시 또 이겼다...? 시즌 막판 갑자기 '강팀 시절'로 돌아간 듯한 첼시는 점점 최소 컨퍼런스리그는 나갈 만한 자격이 있는 팀이라는 것을 증명 중. 마지막 경기까지 승리하면 자력으로 가능하다.

24/5/15
올드 트래포드, 맨체스터
23/24 프리미어리그 34R (순연경기)
맨유 3-2 뉴캐슬

시즌 84번째 실점을 하긴 했지만 어쨌든 유럽대항전 단두대 매치에서 승리를 거둔 맨유. 최근 어물쩡하는 사이 첼시가 치고 올라왔으며 마지막 경기에서 승리를 거둬도 순위로는 자력으로 유럽대항전에 못 갈수도 있는 상황.

24/5/15
스타디오 올림피코, 로마
23/24 코파 이탈리아 결승
아탈란타 0-1 유벤투스

블라호비치의 이른 선제골이 결승골이
되며 그대로 유베가 승리를 가져갔다.
이 매치업은 3년전 2020/21 시즌 결승
전과 같은데 그때처럼 결과도 똑같이
유베가 가져갔다 아무래도 고기도 먹어
본 놈이 먹는다고... 승장 알레그리 감독
은 막판에 뭣 때문에 그리 분노에 차올
랐는지 모르지만 막판에 자켓 탈의까지
시전하며 심판을 잡아먹을 기세로 항의했다가 아탈란타의 트로피 도전은 이렇
게 또 실패하고 말았다. 이제 유로파 결승만이 살 길이다.

유벤투스 23/24 코파 이탈리아 우승

3년만에 거둔 통산 15번째 우승이며 동시에 3년만에 유관투스.

24/5/17
아르테미오 프란키, 피렌체
23/24 세리에 A 37R
피오렌티나 2-2 나폴리

피오렌티나 원정에서 비긴게 나쁜 결과는 아니지만 나폴리는 이미 잃은게 너무 많기에.. 컨퍼런스리그 조차도 못 나가는게 아직 오피셜은 아니고 마지막까지 상황을 봐야 한다.

24/5/18
지그날 이두나 파크, 도르트문트
23/24 분데스리가 34R
도르트문트 4-0 다름슈타트

다음 24/25 시즌 킷을 입고 나온 도르트문트는 이미 사망했던 다름슈타트를 4-0으로 대파하며 홈에서 치뤄진 시즌 마지막 경기를 멋지게 마무리하였다. 올 시즌을 끝으로 떠나는 마르코 로이스의 고별전이었는데 1골 1도움을 기록. 완전 해피엔딩이 되려면 2주 뒤 치러질 챔피언스리그 결승에서 레알을 상대로 일을 내야 한다.

24/5/18
23/24 분데스리가 34R
호펜하임 4-2 바이에른 뮌헨
슈투트가르트 4-0 뮌헨글라드바흐

[오피셜]바이언 2위조차 실패하고 3위로 추락

호펜하임의 리빙 레전드 크라마리치가 바이언을 상대로 해트트릭을 가했다. 동시에 올 시즌 분데스리가에서의 돌풍 담당 슈투트가르트가 글라드바흐를 난타하는 결과가 맞물리면서 최종적으로 슈투트가르트가 2위로 등극, 바이언이 3위로 내려앉으며 시즌이 마무리되었다. 첫 시즌에 이미 리그 36골로 득점왕에 오르고 최종전에는 결장한 케인... 바이언으로 옮겨온 올 시즌도 무관인 것도 모자라 팀이 다음 시즌 DFL슈퍼컵 진출(?) 자격까지 상실하는걸 지켜봐야 했다.

24/5/18
바이 아레나, 레버쿠젠
23/24 분데스리가 34R
레버쿠젠 2-1 아우크스부르크

올 시즌 챔피언 레버쿠젠은 기어코 리그 무패 시즌을 완성했다. 이제 시즌 전체 무패이자 미니 트레블이라는 대업적을 달성하기까지 단 2스텝.

레버쿠젠 23/24 분데스리가 우승

120년 구단 역사상 최초의 분데스리가 우승을 무패로 달성.
그리고 11/12 도르트문트 이후 12년만에 비-뮌헨 팀 우승.

24/5/18
비아 델 마레, 레체
23/24 세리에 A 37R
레체 0-2 아탈란타

[오피셜]아챔확
주중에 코파 이탈리아 제패하는데 실패한 아탈란타는 좌절할 틈도 없이 지금 매우 바쁘다. 이제 리그에서 순위상으로도 다음 시즌 챔스 티켓을 확보했고 이제 대망의 유로파 결승이 남아있다.

24/5/18
스타디오 올림피코 그란데 토리노, 토리노
23/24 세리에 A 37R
토리노 3-1 밀란

올 시즌이 마지막이 될 피올리. 그에게 마지막 원정 경기인데 패배로 장식하였다. 하이라이트는 전 밀란 선수 리카르도 로드리게스의 왼발에 제대로 걸린 대포알 골.

24/5/19
앤필드, 리버풀
23/24 프리미어리그 38R
리버풀 2-0 울버햄튼

리버풀은 다음 24/25 킷을 미리 선보
이며 경기는 잘 마무리했고 드디어 맞
이하고 싶지 않았던 시간이 오고야 말
았다 클롭 감독을 떠나보내는 시간...
안필드의 홈관중들과 선수단은 리버풀
과 9년간의 클롭의 업적을 기리며 박수
갈채를 보냈고 티아고 알칸타라와 마팁
도 추가로 결별의 시간을 가졌다.

클갓동 수고하셨어요 나중에 또 만나요.

24/5/19

23/24 프리미어리그 38R

셰필드 유나이티드 0-3 토트넘

토트넘은 캡틴 손이 10-10을 기어코 달성하면서 가장 쉬운 상대인 셰필드를 완파하고 유로파리그 진출권을 따냈다. 저번 시즌에 아무것도 못 나갔으니 이 정도면 발전한 것...?! 반면 셰필드는 진즉 강등 예약은 물론이고 104실점이라는 기록은 115년만에 나온 최악의 기록. 프리미어리그 수준에 많이 미달했던 팀으로 기억될 듯.

첼시 2-1 본머스

시즌 막판에 급 물이 오른 포체티노의 첼시는 결국 최종적으로 5연승까지 찍으면서 유럽대항전 복귀를 확정지었다 유로파 컨퍼런스도 아닌 유로파리그...! 단 FA컵 결승에서 맨유가 맨시티를 잡고 우승하는 경우만 안 생긴다면 말이다. 즉 첼시 입장에서는 시티를 응원해야함.

브렌트포드 2-4 뉴캐슬

올 시즌 오랜만에 챔스와 병행했던 뉴캐슬은 리그 운영이 지난 시즌보단 쉽지 않았지만 그래도 최소컨퍼런스리그 진출권까지는 따내는데 성공하였다. 단 FA컵 결승에서 맨유가 맨시티를 잡고 우승하는 경우만 안 생긴다면 말이다. 즉 뉴캐슬 입장에서도 시티를 응원해야함.

브라이튼 0-2 맨유

맨유는 승리를 거두고도 다른 유럽대항전 경쟁팀들이 전부 승리하는 바람에 자력으로 유럽대항전 진출 마지노선인 7위 이상에 랭크될 수 없었다. 하지만 이 상태에서 FA컵에서 우승하면 유로파로 직행할 수 있기에 공은 둥그니 희망을 품어본다. 한 편 지난 시즌 브라이튼의 유로파리그 진출을 일궈내고 본선 나가서도 잘 싸우게 했던 데 제르비는 이제 팀을 떠난다.

대망의 우승 결정전

24/5/19

23/24 프리미어리그 38R

맨시티 3-1 웨스트햄

아스날 2-1 에버튼

시작전부터 이미 시티 쪽으로 많이 기울어져있는 경쟁이었는데 실제로 시작하
자마자 시티의 포든이 득점을 하고 아스날은 선제골을 실점했기에 더욱 뻔해보
이는 양상이었다. 시티가 쿠두스에게 원더골로 실점하면서 어 혹시...? 하는 순

간도 잠깐 있기는 했지만 말이다. 아스날도 기어코 역전을 해내긴 했지만 역시나 이번에도 프리미어리그 우승은 시티에게 돌아갔고 4연패라는 위업을 달성하게 된다. 지난 시즌도, 그리고 지난 시즌보다 거 길게 경쟁 구도를 이어나가며 맨시티를 위협했던 아스날에게도 박수.

맨시티 23/24 프리미어리그 우승

통산 10번째 우승을 달성했는데 그 중에 펩이 6회의 지분을 가지고 있으며 21세기 들어 8회.

24/5/19
쥐세페 메아짜, 밀라노
23/24 세리에 A 37R
인테르 1-1 라치오

경기 전에 들려온 사수올로의 강등 소식은 인테르 팬들에게 우승만큼이나 기쁠 것이다. 사수올로가 언제 다시 올라올지 모르지만 최소 한 시즌 두 경기만이라도 조마조마한 고통을 덜 맛보게... 어쨌든 오늘 경기는 Piccalcio 1000번째 얼굴의 주인공 가마다 다이치의 선제골로 인테르가 갑분싸 잔칫상이 될 뻔했지만 둠프리스가 그것만큼은 면하게 해주었다.

인테르 23/24 세리에A 우승

3년만에 이탈리아 왕좌에 다시 오름과 동시에 통산 20번째 스쿠데토로 두번째 별을 장착한 인테르.

24/5/19
튀르크 텔레콤 아레나, 이스탄불
23/24 쉬페르리그 37R
갈라타사라이 0-1 페네르바체

5대 리그는 아니지만 우연히 본 이상 그냥 지나치기가 어려워서(?). 승점 99점으로 리그 2연패를 앞뒀던 갈라타사라이는 라이벌 페네르바체와 홈에서 비기기만 해도 그들 앞에서 축포를 쏘아올릴 수 있는 상황이었다. 심지어 전반부터 시작된 수적 우세를 살리지 못하고 쇠윈쥐에게 한 방 먹으며 K.O...

제대로 갑분싸가 되면서 튀르키예 챔피언 결정은 한 주 미뤄졌다. 자신들 앞에서 라이벌의 우승 확정을 목격할 수 없다는 페네르의 의지가 제대로 느껴졌는데(밀라노: ????) 그래도 최종적으로 갈라타가 훨씬 유리한 건 변함이 없다.

24/5/19
스타디오 올림피코, 로마
23/24 세리에 A 37R
로마 1-0 제노아

파레데스가 또 성깔대로 주심한테 입방정을 하며 퇴장당하느라 어려워진 로마였지만 루카쿠가 살려줬다.

24/5/20
레나토 달라라, 볼로냐
23/24 세리에 A 37R
볼로냐 3-3 유벤투스

코파 이탈리아에서 우승했더니 그 직후에 경질...? 시즌이 다 끝나기도 전에 알레그리 2기가 이런 식으로 막을 내렸다. 사실 지난 3년간 수없이 알레그리 아웃을 외쳤을 유벤티노들이지만 막상 이런 식으로 경질되니 참... 그렇게 알레그리 갓동은 1기때부터 총 5개의 스쿠데토와 5개의 코파 이탈리아 그리고 2개의 수

페르코파 이탈리아나를 안겨주었다. 그 후임이 오늘 상대 감독인 모따가 되나...? 그나저나 요즘 이탈리아 내에서 핫한 볼로냐 수비수 칼라피오리는 전일 22번째 생일을 맞이했으며 멀티골 축포를 쏘아올렸다.

24/5/22
아비바 스타디움, 더블린
UEFA 유로파리그 결승
아탈란타 3-0 레버쿠젠

"패배란 무엇일까?" "바로 이런거"
레버쿠젠의 철옹성같던 50경기 넘는
무패 행진이 아니 여기서 이렇게 쉽게
무너진다고? 루크먼이 전반에 멀티골
넣을 때만 해도 "에이 레버쿠젠 또 막
판에 몰아넣으려고 그러나" 했다 늘
그래왔던 것처럼. 하지만 이번엔 진짜
였다 레버쿠젠의 패배는. 그리고 가스

페리니 호 아탈란타의 성과물이 드디어. 루크먼은 결승전 해트트릭이라는 엄
청난 스웩을 보여주며 이탈리아 축구를 사랑하는 이탈리아인들이나 세리에팬
들 대다수를 뿡 차오르게 만들어주었다.

루크먼 새로운 왕자로 등극
2010/5/22 디에고 밀리토 vs 바이에른 뮌헨(독일) 상대로 멀티골
2024/5/22 루크먼 vs 바이엘 레버쿠젠(독일) 상대로 해트트릭

14년만에 돌아온 5월 22일 유럽대항전 결승전에서 이탈리안 네라쭈리 팀 선수
가 독일 팀에게 멀티골 이상을 퍼부으면서 우승 트로피를 팀에 안겨다주었다.

아탈란타 23/24 유로파리그 우승

가지고 있는 현 팀원 8+감독 1명+캐릭터 1명으로 그렇게 당장 많이 크게 담을 수는 없었지만 대리 만족시켜준 아탈란타에게 찬사를...! 리버풀에게 안필드에서 3-0, 마르세유에게 3-0, 그리고 51경기 무패 행진을 달리던 레버쿠젠에게 3-0이면 이번 대회 우승할 자격은 누가 봐도 차고 넘쳤다.

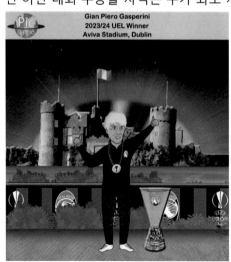

잔피에로 가스페리니 감독

드디어 그의 커리어에 처음으로 새겨진 트로피.

24/5/23
사르데냐 아레나, 칼리아리
23/24 세리에A 38R
칼리아리 2-3 피오렌티나

굿바이 라니에리
올 시즌을 끝으로 은퇴를 선언했던 라니에리 감독의 커리어 마지막 경기. 잔류 다투는 팀을 잔류시키고 홈경기를 마지막으로 해서 떠나니까 이 얼마나 아름다운가. 상대팀 피오렌티나는 물론 여러 세리에A 팀에서 감독 생활을 했고 노신사의 표본인 그는 많은 이들에게 리스펙트를 받으며 축구 인생을 마친다.

수고하셨습니다 라니에리 옹

24/5/25
웸블리 스타디움, 런던
23/24 FA컵 결승
맨시티 1-2 맨유

레버쿠젠이 워낙 질기게 어마어마했어서 그렇지 맨시티의 공식경기 35연속 무패도 만만찮은 기록이었는데 그게 바로 여기서 지역 라이벌 팀에게 깨지고 말았다. 지난 시즌과 연속된 매치업인데 이번에는 맨유가 스코어만 뒤집어서 복수에 제대로 성공하였다. 04년생 가르나초, 05년생 마이누가 근본의 FA컵 결승에서 영국 최강자 맨시티를 상대로 팀에게 오랜만에 제대로 된 트로피(카라바오컵 말고)를 안겨다 주었다.

24/5/25
알리안츠 스타디움, 토리노
23/24 세리에A 38R
유벤투스 2-0 몬차

굿바이 산드루
9년 간 5개의 스쿠데토, 5개의 코파 이
탈리아 그리고 1개의 수페르코파 등 총
11개의 트로피를 안고 유베와 이번에
결별하게 된 알렉스 산드루. 가끔 실력
논란이 좀 있긴 했으나 마지막만큼은
매우 아름다웠다. 주장 완장을 달고 나
와서 평소에 득점도 거의 없던 선수가
득점을 하면서 유베 홈팬들과도 작별
인사를 나눴다.

24/5/25
올림피아슈타디온, 베를린
23/24 DFB 포칼 결승
카이저슬라우테른 0-1 레버쿠젠

주중 유로파 결승에서 매우 쓰라린 패
배를 당하고 왔지만 그거 절망하고 있
을 시간이 없다. 2부 리그 팀과의 결승
전이니 정신만 제대로 차리고 임해도
우승할 수 있는 경기에서 전반 막판 퇴
장자가 발생하며 하마터면 이것도 연
달아 그르칠 뻔한 레버쿠젠. 하지만 자
카의 이른 선제골을 잘 지켜내며 더블
한 잔해~

레버쿠젠 23/24 포칼 우승

유로파에서 결승에서 패한게 올 시즌 전체 공식경기 패배의 전부인 레버쿠젠은 그게 좀 쓰릴 수도 있지만 영원히 기억될 역대급 시즌이었다. 어쨌든 지금 어느 모로 봐도 독일 내에서는 최강팀이니까 한 잔해~

24/5/25
산 시로, 밀라노
23/24 세리에A 38R
밀란 3-3 살레르니타나

굿바이 피올리 & 지루
다음 24/25 킷을 미리 입고 나온 밀란인데 훨씬 나은 듯...? 이 쪽은 피올리 감독 그리고 지루와 작별. 근데 이미 사망한 팀 상대로 홈에서 난타전 끝에 무승부는 좀 그렇지만 승패가 중요한 경기는 아니었으니 그렇다치는걸로... 이렇게 2022 스쿠데토에 있어서 커다란 역할을 했던 주역 두 명이 이제 로쏘네리를 떠난다.

24/5/25
산티아고 베르나베우, 마드리드
23/24 라리가 38R
레알 마드리드 0-0 레알 베티스

미리 굿바이 크로스
승패가 중요한 경기는 아니었고 올 시즌을 끝으로 은퇴를 선언한 토니 크로스를 위한 시간을 가졌다. 레알을 위해 뛰는 경기로는 이제 또 한번의 챔피언스리그 결승전이 남아있고, 독일 대표팀에서 유로 2024를 끝으로 선수 커리어를 마감할 예정.

239

24/5/26
게비스 스타디움, 베르가모
23/24 세리에A 38R
아탈란타 3-1 토리노

유로파리그 영웅들의 귀환. 그나저나 토리노는 한 달전 스쿠데토를 확정 짓고 난 인테르 원정에서도 가드 오브 아너를 해주더니 이번에도 그런 입장이 되었다 그리고 경기는 지고... 그 중에서 아탈란타에서 토리노로 (하필) 임대중 이었던 사파타에게 홈팬들이 무언가 선물을 주는 모습은 인상적. 그도 충분히 이번 유로파 타이틀을 함께 나눌 자격이 있다고 생각하는 모양이다.

24/5/26
스타디오 디에고 아르만도 마라도나, 나폴리
23/24 세리에A 38R
나폴리 0-0 레체

[오피셜]나폴리 다음 시즌 무럽 대항전
나폴리에게는 정말 악몽과도 같은 시즌이 드디어 마침내 끝났다. 제 아무리 또 다시 우승하지 못하더라도 이 정도로 폭망할거라고는... 끝까지 지리멸렬한 경기를 펼치면서 결국 유럽대항전에도 못 나가고 아마 역대 최악의 디펜딩 챔피언으로 기억될지도? 경기 전에 실제로 팬들이 팀이 올 시즌 굴욕적으로 패했던 경기 스코어들을 걸개로 내걸었었다. 아마 부끄러운 줄 알라는 의미일 듯.

24/5/26
23/24 쉬페르리그 38R
콘야스포르 1-3 갈라타사라이
페네르바체 6-0 이스탄불스포르

[오피셜] 갈라타사라이 리그 2연패
1패와 99점으로 준우승하는게 과연 어떤 느낌과 기분일까... 페네르바체에 게 심심한 위로를 보낸다. 1,2위 갈페 그리고 3위 트라브존스포르와의 격차 를 보면 옛날 라리가의 레알-바르샤 양강구도보다 훨씬 더한 듯...

24/5/26
스타디오 벤테고디, 베로나
23/24 세리에A 38R
베로나 2-2 인테르

둘 다 목표를 이룬 상태라 경기가 친선 느낌. 공식적으로 다음 시즌부터 엠블 럼에 두 번째 별을 달 인테르는 원스타 로서의 마지막 경기를 치렀다.

24/5/26
스타디오 올림피코, 로마
23/24 세리에A 38R
라치오 1-1 사수올로

지난 시즌 2위였던 라치오도 나폴리 못지않게 안 좋은 시즌이었지만 유로파라도 나갈 수 있게 되었다. 그리고 이제 세리에B로 내려갈 사수올로는 다시 언제 돌아올지 모르는 A 마지막 경기를 치렀는데 리빙 레전드인 베라르디의 행선지가 이탈리아 내에서 관심사.

24/5/26
23/24 세리에 A 38R
엠폴리 2-1 로마
프로시노네 0-1 우디네세

[오피셜]엠폴리, 우디네세 잔류 & 프로시노네 강등
음바예 니앙이 여기서 나와?? 밀란 암흑기 시절에 뛰고 그 뒤로 여기저기 돌아다니며 존재감 없던 니앙이 엠폴리 구단의 영웅이 되었다. 아무리 로마가 목표를 상실했어도 이기긴 쉽지 않아 보였는데... 그리고 타구장에서는 프로시노네와 우디네세의 단두대 매치로 치러진 경기였다. 여기서도 우디네세가 극적으로 승부를 가르면서 경기 전 셋 중에서 가장 유리한 위치에 있었던 프로시노네에게 모든 악의 기운이 몰리며 한 시즌만에 다시 또 강등의 쓴 맛을 봐야했다. 로마 입장에서는 여전히 좋은 기억을 가지고 있는 챔스 4강 신화를 이뤄낸 디 프란체스코 감독이 현재 팀을 잔류시키는데 도움을 주지 못했기 때문에 현지 팬들이 많이 미안해하고 있다.

24/5/29

아기아 소피아 스타디움, 아테네

23/24 유로파 컨퍼런스리그 결승

올림피아코스 1-0 피오렌티나

지난 시즌도 그렇고 어쩔 수 없이 여기서는 평소에는 안 보이다가 결승전만 등장하는 대회 컨퍼런스리그... 그리스에서 하는 경기 연장 접전끝에 결국 승자는 그리스팀 올림피아코스였다. 그리스 클럽의 최초 유럽대항전 우승이라는 역사를 썼고 20년 전이었던 유로 2004 그리스 우승과 뭔가 오버랩이 된다 정작 그리스 대표팀은 이번에 플레이오프에서 떨어져 유로 2024에 참가할 수 없지만... 경기의 주인공은 이번 대회 시종일관 득점력을 뽐냈던 모로코인 공격수 엘 카비였다. 반면 피오렌티나는 작년에 이어 이번에도 연속 준우승이라는 피눈물을 삼켰다...

역대 유로파 컨퍼런스리그 우승팀 (3년의 역사)

21/22 로마

22/23 웨스트햄

23/24 올림피아코스

24/6/1

웹블리 스타디움, 런던

23/24 UEFA 챔피언스리그 결승

도르트문트 0-2 레알 마드리드

[오피셜] 어우레

어차피 우승은 레알 꺼다. 크로스는 레알에서, 로이스는 도르트문트에서 마지막 경기인데 영원한 승자는 없다는 말이 무색할 지경.

레알 마드리드 23/24 UEFA 챔피언스리그 우승

안 그래도 빅이어 수가 단독 1위인데 통산 15회 우승으로 격차를 점점 벌리고 있다.

굿바이
크로스

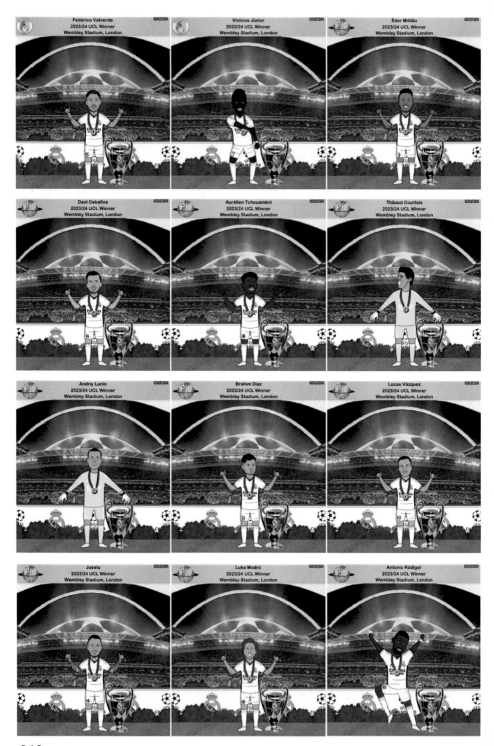

24/6/2
게비스 스타디움, 베르가모
23/24 세리에 A 29R (순연경기)
아탈란타 2-3 피오렌티나

챔스 결승이 끝났는데 남아있던 해외 축구 경기? 이번 유로파 챔피언 아탈란타는 다음 시즌 UEFA 슈퍼컵에 참가하게 되며 상대는 레알이다. 아탈란타와 피오렌티나 이 두 팀은 29라운드 맞대결이 어쩌다가 여기까지 밀려오게 되었다. 피오렌티나도 아탈란타처럼 유럽 대항전 트로피를 들고 고국으로 멋지게 오고 싶었겠지만 별 의미가 없어진 경기에서나마 승리를 챙겼다 그런다고 위안이 되진 않겠지만... 오르사토 주심의 세리에A 고별 경기로 현지에서도 많이 스포트라이트를 비춰줬던 모양인데 음... 할맣하않.

247

지금까지 2023/24 PicCalcio였습니다.

블로그

대단히 감사합니다!

인스타

PicCalcio 2023/24 해외축구 시즌 하이라이트 일러스트 카툰북

발 행 | 2024년 8월 5일
저 자 | 장원석
펴낸이 | 한건희
펴낸곳 | 주식회사 부크크
출판사등록 | 2014.07.15.(제2014-16호)
주 소 | 서울특별시 금천구 가산디지털1로 119 SK트윈타워 A동 305호
전 화 | 1670-8316
이메일 | info@bookk.co.kr

ISBN | 979-11-410-9939-8